土浦ー筑波
急行つくばね
土浦 行

はじめに

国有化された常磐線と水戸線を連絡し、北条、筑波地方の交通の便を図るべく、1910（明治43）年４月30日に千葉県の圓尾卓爾ほか６名が土浦～下館間軌間762mmの軽便鉄道敷設を申請した。1912（明治45）年３月に軌間を1,067mmに、1913（大正２）年２月に終点を岩瀬に変更し、1914（大正３）年４月11日に筑波鉄道株式会社が設立された。第一次世界大戦勃発による資材不足や、経由地の選定や用地買収がこじれたこともあったが、1918（大正７）年４月17日に土浦～筑波間が蒸気動力の鉄道として開業した。同年６月７日に筑波～真壁間、同年９月７日に真壁～岩瀬間が開業して全通を果たした。内燃動力併用は1937（昭和12）年５月27日認可で、戦時中の陸運企業統合で、以前からのライバルであった常総鉄道に合併されて常総筑波鉄道筑波線となった。

1960（昭和35）年頃が当線の最も華やかかりし頃で、土浦～筑波間に急行が走り、社線車両が水戸線経由で小山に乗り入れ、行楽シーズンには上野（土浦経由）や日立（岩瀬経由）から国鉄客車が筑波に乗り入れて来た。1965（昭和40）年

６月１日に同じ京成系の鹿島参宮鉄道と合併して関東鉄道筑波線となり、1979（昭和54）年４月１日に鉾田線とともに筑波線が別会社に分離されて筑波鉄道（二代目）となった。

こうして社名を４度変えて昭和時代の後期を迎え、筑波鉄道（二代目）時代に駅の無人化、業務委託化、組織の統合、保線業務の外注化などを実施し従業員を半減させて62名としたが、赤字体質から脱却できなかった。

筑波鉄道は1984（昭和59）年11月２日に事業廃止を沿線市町村に申し入れ、沿線６市町村は筑波鉄道存続対策協議会を発足させ、1985（昭和60）年から１年間、回数券３割補助などの助成を行ったが、輸送人員はさらに減少した。結局、1987（昭和62）年３月末日限りで全廃となった。

開業前から廃線、そして廃線後の今日までの約110年余の歩みをお伝えしたい。蒸気→内燃併用→内燃と動力が変遷し、かなりの数の車両が在籍したこともあって、上・下の２分冊とさせていただく。

「東京オリンピック」の閉会式を終えた翌日も快晴だった！その秋空に誘われて筑波線真鍋を訪問すると、汽車会社製の1C1タンク機7号が最後の姿を貨物側線に見せていた。
1964.10.25　真鍋　P：宮田寛之

絵葉書。筑波山の麓を走る蒸気機関車７号。標高877mの筑波山はこの地域の象徴である。　昭和初期　所蔵：白土貞夫

第１章　私が出会う前の筑波鉄道

1. 筑波鉄道

(1) 軌間762mmの蒸気鉄道で計画

国有化された常磐線と水戸線を連絡し、北条、筑波地方の交通の便を図るべく、1910(明治43) 年４月30日に千葉県の圓尾卓爾ほか６名が土浦〜下館間、軌間762mmの軽便鉄道敷設を申請した。

筑波鐵道敷設假免許状申請書

私共今般私設鐵道法ニ拠リ筑波鐵道株式会社ヲ設立シ茨城懸新治郡土浦町ヲ起點トシ仝郡真鍋町、都和村、藤澤村、斗利出村、筑波郡小田村、北條町、田井村、筑波町、真壁郡大村、村田村、養蠶村、嘉田生崎村ヲ経テ官設鐵道下館停車場ニ至ル間ニ軽便鐵道ヲ敷設シ一般運輸ノ業ヲ營ミ交通ノ利便ヲ計リ度鐵道敷設假免許状御下附被成下度別紙起業目論見書、假定款、其他必要書類及図面相添発起人連署ヲ以テ此段奉願候也

明治四十三年四月参拾日

筑波鐵道株式會社創立発起人

千葉懸千葉郡千葉町千葉五百六拾五番地

圓尾　卓爾

東京市下谷区上根岸町六拾番地

内田　佶助

東京都豊多摩郡千駄ヶ谷町八百五拾六番地

佐藤　五郎

東京市本郷区湯島切通坂町三拾四番地

九島喜三郎

東京市本所区向島小梅町二百五拾参番地

堀内　　元

千葉県印旛郡成田町八百貳拾壱番地

高橋　禎蔵

東京市本郷区駒込東片町百四拾九番地

渡辺晴一郎

内角総理大臣　侯爵　桂　太郎　殿

筑波鐵道株式會社設立起業目論見

一、茨城懸新治郡土浦町ニ起リ真壁郡下館町ニ至ル間ニ軽便鐵道ヲ敷設シ一般運輸ノ業ヲ營ムヲ目的トス

二、本會社ハ筑波鐵道株式會社ト称シ本店を東京市ニ置ク

三、線路ハ茨城懸新治郡土浦町ヲ起點トシ仝郡真鍋町、都和村、藤澤村、斗利出村、筑波郡小田村、北條町、田井村、筑波町、真壁郡大村、村田村、養蠶村、嘉田生崎村ヲ経テ官設鐵道下館停車場ニ至ル延長弐拾壱哩拾五鎖トス

四、軌間ハ貳呎六吋乃至参呎トシ全線単軌道トス

五、資本総額ハ金七拾萬圓トス

六、株式総数ハ壱萬四千株ニシテ壱株ヲ金五拾圓トス

七、発起人ノ氏名住所亦発起人ノ引受ケヘキ株式総数及各発起人ノ引受株数左ノ如シ

千葉懸千葉郡千葉町千葉	圓尾　卓爾	五百株
東京市下谷区上根岸町	内田　信助	五百株
東京都豊多摩郡千駄ヶ谷町	佐藤　五郎	五百株
東京市本郷区湯島切通坂町	九島喜三郎	五百株
東京市本所区向島小梅町	堀内　　元	五百株
千葉県印旛郡成田町	高橋　禎蔵	五百株
東京市本郷区駒込片町	渡辺晴一郎	五百株
		計参千五百株

起業カ公共ノ利益タルコトヲ證スル調書

(略) 常陸ノ地タル旧日本鐵道線路タリシ東京ヨリ奥羽ニ達スル海岸線ト旧水戸線タリシ小山駅ヨリ下館ヲ経テ海岸線友部駅ニ達スル　新治、筑波、真壁ノ三郡ハ米穀、繭糸、大豆、石材、畳表等ノ特産物アリ為メニ収ムル年々ノ金額實ニ五百万円ヲ超過スト云フ又各地ヨリ供給スル肥料、砂糖、食塩、木材、石炭、石油、石灰、雑貨等ノ輸入亦多ナルモノアリ而シテ是等出入りノ貨物ヲ運搬スルノ方法タルヤ人肩馬背ニ依ルノ外殆ンド運輸ノ途ナキ有様ニシテ興ルヘキノ産業振フヘキノ事業共ニ阻止セラレ大ニ地方ノ進運ヲ妨クルノミナラス殊ニ本國ニハ関東第一タル筑波ノ名山アリ山上筑波神社ノ霊祠アリテ年々茲ニ賽スル数万ノ信者アリ　其地域ハ避暑、或ハ探勝、或ハ修学旅行等四時ノ登山者日ニ月ニ著シク増加スルノ傾向ニシテ旅客ノ来往ニ對スル交通機関ノ設備ヲ要スル亦言フ挨タサル所ナリ

(略) 現在ノ状況ト将来ノ趨勢トヲ稽ニ筑波鐵道株式會社ヲ設立シ新治郡土浦町ヲ起点トシ筑波郡北條町(筑波山麓) ヲ経テ真壁郡下館町ニ通スル延長弐拾壱哩拾五鎖ノ軽便鐵道ヲ敷設シ以テ本國中部ヲ串通シ旧日本鐵道線路ト聯絡ヲ為シ沿線地方ノ貨物ハ勿論出入ノ旅客ニ對シ十分運輸交通ノ利便ヲ興シ地方ノ発展ニ資スルトキハ啻ニ鐵道本能ノ目的ヲスルノミナラス人智開発、産業振興ノ上ニ於ツ其効果決シテ尠ナカラス所謂一般公共ノ利益ヲ増進スルコトハ信シテ疑ハサル所ナリ是レ本鐵道ノ敷設ヲ出願ヲ出願スル所以ナリトス

筑波鐵道線路豫測圖説明書

本鐵道線路ハ茨城懸新治郡土浦町ヲ起點トシ仝郡真鍋町仝町大字殿里、仝郡都和村大字常名、仝郡藤澤村大字大畑、藤澤、仝郡斗利出村大字田宮、筑波郡小田村大字大畠、大杉、小田、仝郡北條町大字小泉、仝郡田井村大字小澤、杉本、大貫、仝郡筑波町大字沼田、國松、大島、真壁郡大村大字中根、海老島、松原、仝郡村田村大字吉間、仝郡養蠶村大字徳持、蕨、下中山、仝郡嘉田生崎村大字大岡ヲ経テ官線鐵道下館停車場ニ達スルモノニシテ全線延長弐拾壱哩拾五鎖トシ　最急勾配ハ百分ノ一　最小半径ハ拾八鎖トス

一、土浦北條間

土浦町起點ニ土浦停車場ヲ設置シ夫レヨリ一哩五拾九鎖間ハ盛土ヲ為シ中間零哩七拾貮鎖五拾節ニ真鍋停車場ヲ設ク　是ヨリ地勢漸次高キニ赴クヲ以テ切取ヲナシ百分ノ一勾配ヲ以テ昇リ道路ハ総て踏切トス　参哩拾鎖ヨリ百分ノ一勾配ヲ以テ降リ参哩六拾鎖ニ達スル間ハ切取ヲ施シ是ヨリ低地トナルヲ以テ盛土ヲ為シ四哩参拾四鎖参拾節ニ藤澤停車場ヲ設ク　夫レヨリ進ンテ六拾五鎖間ハ切取ヲ為ス以テ

絵葉書
「土浦名所 土浦驛」。
昭和初期
所蔵：白土貞夫

道路ヲ跨線橋ヲ架設ス　五哩貳拾五鎖ヨリ再ヒ低地ヲ就クヲ以盛土ヲ為シ百六拾五分ノ一勾配ヲ以テ降リ六哩拾七鎖ニ開渠六呎　六哩拾四拾鎖ニ開渠六呎　六哩拾七拾四鎖ニ拾貳呎橋梁ヲ架橋シ道路ハ踏切ヲ以テ通過シ七哩五拾鎖ニ小田停車場ヲ設ク　此地ハ小田城趾ノ在ル處ニシテ文治中八田知家之ヲ築キ小田氏ト称シ居城ヨリ本線路勝地ノ一ナリ　小田停車場ヲ發シ八哩七鎖ニ縣道ヲ横断シ八哩貳拾鎖ニ開渠七呎　八哩貳拾六鎖及八哩貳四拾壱鎖ノ里道ヲ踏切

　九哩五拾鎖ニ至リ北條停車場ヲ設置ス　北條町ハ北條城趾ニシテ小田家知家ノ八子時家ノ城ク處北條氏ノ祖ナリトス且同地ハ筑波山麓登山者ノ群集地ニシテ人家稠密人口亦四千ヲ数ノ附近一帯米穀ノ特産地ンルヲ以テ集散地トシテ旅客貨物ノ出入少ナカラス亦線路中枢要ノ地ナリ

二、北條下館間

北條停車場ヲ發シ拾哩拾四鎖ニ至リ田井村ニ入リ縣道其他溝渠ヲ横断シ拾壱哩四拾七鎖ニ至リ水無野川拾貳呎ノ橋梁ヲ設ケ筑波町ニ入リ沼田、國松ヲ通過シ気象台ヲ右側トシテ大畠ニ至リ拾参哩参拾鎖ニ大島停車場ヲ置ク　進ンテ拾参哩七拾六鎖貳拾節ニ百呎橋梁ニ依リ拾五哩六拾五鎖ニ至ル壱哩四拾鎖間ハ切取ヲ施行シ拾六哩零鎖ニ海老島停車場ヲ設置シ松原ヲ経テ拾七哩貳拾五鎖ニ至リ村田村ニ入リ百六拾五分ノ一勾配ヲ昇ル此間七拾鎖切取ヲ為シ拾八哩貳拾五鎖ノ地ニ吉間停車場ヲ置ク　夫ヨリ進ンテ拾八哩参拾貳鎖五拾節ヲ以テ養蠶村ニ至リ拾八哩六拾四鎖ニ八呎ノ開渠拾九哩四拾壱鎖ニ百呎ノ橋梁ヲ架設シテ間小川ヲ越ヘ拾九哩七拾貳鎖ニ六呎　貳拾哩貳拾八鎖ニ六呎　貳拾哩参拾五鎖ニ五呎　何レモ開渠ヲ設ケ　貳拾哩五拾参鎖ニ至リ百参拾呎橋梁ニ依リ勤行川ヲ越ヘ嘉田生崎村ニ達シ貳拾哩七拾六鎖ニ拾呎橋梁ヲ通過シテ官線下館停車場ニ達スル線路終点貳拾壱哩拾五鎖トス

要スルニ本線路ハ概ネ地勢平坦之ヲ以テ隧道ヲ設ケルノ要ナク最急勾配百分ノ一以下ヲ使用セス　単ニ橋梁七ケ所開渠拾貳ケ所水路付替貳ケ所等ヲ施設スルニ止マレリ

主任　九島喜三郎

筆頭発起人の圓尾卓爾は韓国農工銀行副支配人で、他の発起人６人も東京都と千葉県在住者であり茨城県の沿線住民はおらず、出資者が利益を得ようとして出願されたと見て取れる（その後発起人は３名が加わり10名となる）。免許の申請は本社予定地の首長を経由する形式で、筑波鉄道に関しては東京府知事から副申がなされた。

進　達

筑波鐵道設立発起人圓尾卓爾外九名ヨリ茨城県下新治郡土浦町ヲ起點トシ筑波郡官設鐵道下館停車場ニ至ル間　軽便鐵道敷設ノ儀　別紙ノ通リ申請書提出ニ付関係地方廰ヘ商議候處左記ノ通ニ有之候條可然御詮議相成度関係書類進達此段意見副申候也

明治四十三年十二月六日

東京府知事　阿部　浩

内閣総理大臣　侯爵　桂　太郎　殿

記

一、起業ノ確否

発起人各自ノ職業、資産、並信用ノ程度ハ別紙ノ通ニ有之起業経営宜シキヲ乃ルニ於テハ成功敢テ難キニ非スト信ス

一、起業ノ効用

土浦、北条間ノ交通機関トシテハ単ニ馬車（北條、土浦間）及腕車ノ便アルニ止マリ殊ニ筑波郡地方沿道ノ関係町村ハ北方ニ山岳起伏シテ交通殆ント遮断セラレ南部ニ出ツルモ亦極メテ不便ナルニヨリ勢ニ東方ニ向ッテ交通ヲ求メサルヘカラス而シテ小田村ニハ古来優良ナル花崗岩石アリ又関東ノ名山筑波山登ルモノ近時年ヲ逐リテ増加シ且ツ土浦町ハ國有鐵道常磐線ノ要路ニ當ル著名ノ市街ニシテ霞ヶ浦汽船ノ便アリ当地ヨリ下館、結城ヲ経テ中央線ニ連絡一般運送セラルヘキ旅客ト貨物トハ鮮少ナラサルヘシ

以上ノ事実ナルヲ以テ本鐵道ノ敷設ニ関シテハ沿道地方人民ノ期待スル所ニシテ開通ノ暁ニハ最モ良好ノ結果ヲ得ヘキモノト認ム

一、起業裨益上ノ関係

本鐵道敷設ノ為メ旧来ノ道路河川等多少ノ変換ハ免カレサルベシト雖モ之ニ因テ交通上ノ支障ヲ生スルカ如キコトナカルヘク且又地方人民ノ生計営業等ニ照テハ敢テ其影響ヲ及ホスコトナカルヘシ而シテ土浦町ヨリ下館地方ヘノ往返ニハ官設鐵道ニ依リ友部驛ニ至リ更ニ小山線に乗換ヘヲ達セサルバカラサルノミナラス列車毎ニ連絡ノ設ナキカ或ハ仝驛ニ滞留スルノ止ムヲ得サルコトアリ此ノ如キハ徒ニ時間ヲ空費スルノミナラス迂回スルカ為メニ多額ノ賃金ヲ要シ其往返ハ勿論貨物ノ運送等最モ不便ヲ感シツツアル状態ナルヲ以テ本鐵道ノ敷設ハ旅客ハ勿論貨物ノ輸出入ヲ促進シ沿道町村ノ産業発達と裨益スル處多大ナルト信ス

こうして取手〜下館間軽便鉄道は1911（明治44）年４月20日に免許となった。国立公文書館に次の文書が残る。

軽便鐵道免許状下付　明治四十四年四月二十日筑波鐵道株式會社発起人圓尾卓爾外九名ニ對シ軽便鐵道敷設免許状ヲ下付セリ其ノ企業目論見ノ概要左ノ如シ（鐵道院）

鐵道種別	軌間幅員	線路両端	延長哩数	資本金	起業者
蒸気鐵道	二呎六吋	土浦　下館	二十一哩十五鎖	700,000円	筑波鐵道株式會社発起人 圓尾卓爾外九名

■筑波鉄道路線図

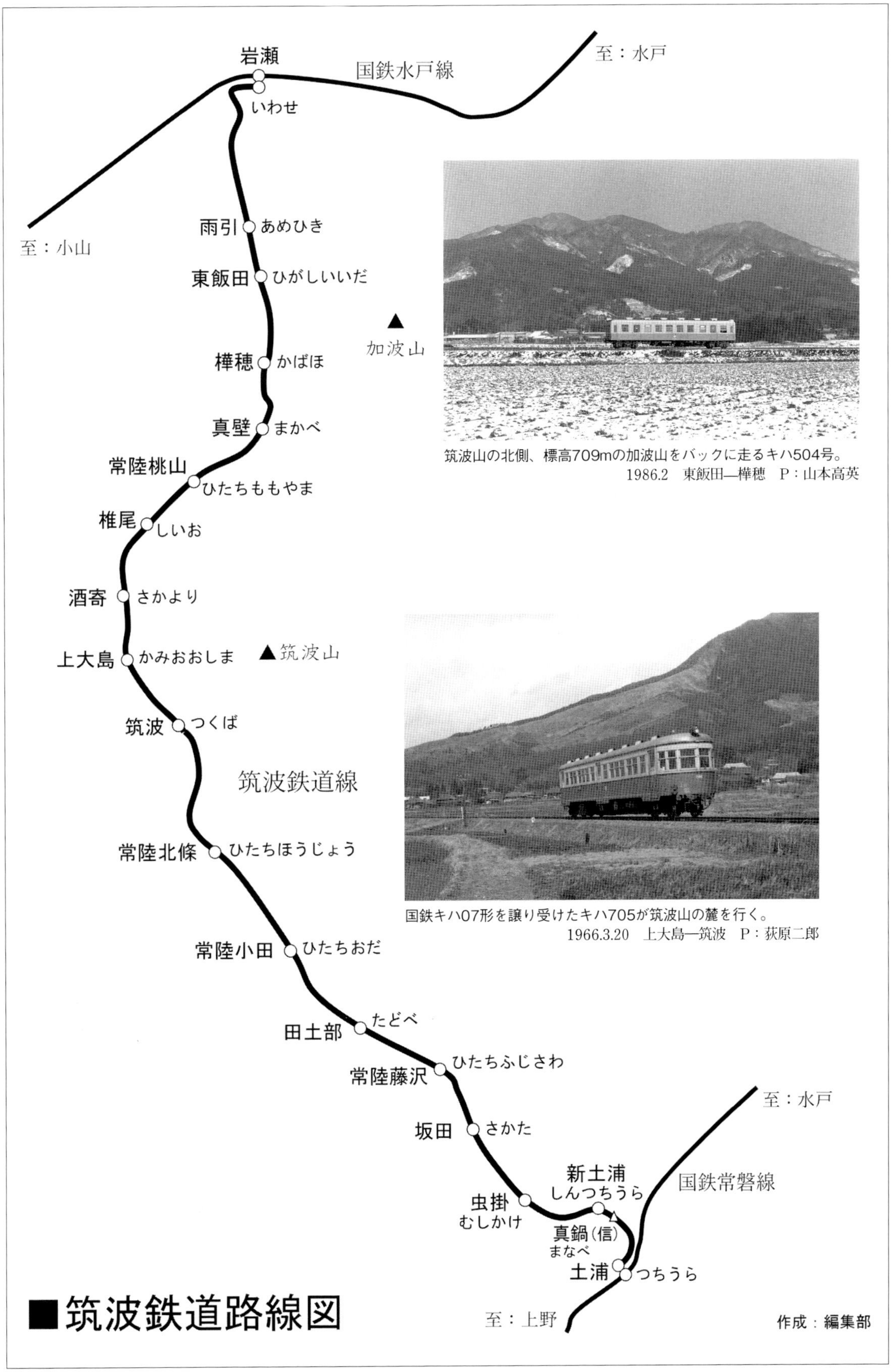

筑波山の北側、標高709mの加波山をバックに走るキハ504号。
1986.2　東飯田―樺穂　P：山本高英

国鉄キハ07形を譲り受けたキハ705が筑波山の麓を行く。
1966.3.20　上大島―筑波　P：荻原二郎

作成：編集部

（2）軌間1,067mm、岩瀬終点に変更

北関東の地で常磐線と水戸線を結ぶ路線としては、もと土佐藩士で衆議院議員となる竹内　綱(1840～1922)らが1911(明治44)年７月25日に出願した取手～水海道～下館間の常総軽便鉄道(現在の関東鉄道常総線)があった。出願は筑波鉄道から約１年３ヶ月遅れを取り、免許は約７ヶ月後れを取ったものの会社設立は1912(明治45)年６月９日、起工式は1913(大正２)年２月11日、全線一気の開業は1913年11月１日と、ハイペースであった。

筑波鉄道発起人は1912(明治45)年３月11日に軌間を762mmから1,067mmに、大島～下館間について真壁を経由するルートに変更した。これは後からの免許であった常総鉄道の計画が先に進み、下館付近で距離が近付く区間が出現したことも理由の一つであった。もう一つの注目は発起人の氏名が円尾卓爾から佐分利一嗣に変わっている。1911(明治44)年４月20日の免許時から一年以内に代表者が変わっていることは不自然で、路線の対立などがあったのかもしれない。

筑波鐵道株式會社起業目論見書変更願

私共発起ニ係ル筑波鐵道敷設ノ義ハ明治四十四年四月廿日付ヲ以テ免許状御下附相成居候處其後種々調査ノ結果将来官線トノ聯絡上及ヒ輸送力増加ノ見込アルヲ以テ軌間ヲ参呎六吋ニ拡張スルノ必要ヲ認メタルト又本線路中筑波郡筑波町字大島ヨリ下館ニ至ル間ハ人畑稀少貨物亦豊富ナラス之ニ反シテ真壁郡真壁町ハ往時城下ナリシヲ以テ比較的戸口稠密ノミナラス仝町及附近ニ於ケル産出貨物ノ暁多ナル年額貳百萬圓内外ト積スルモ交通機関不備ノ為メ今日マテ十分ノ発展ヲ成シ能ハサル現況ニシテ是等地方ノ開発産業ノ振興ヲ圖ルハ本鐵道敷設ノ本旨ニ有之且客年別ニ常総鐵道敷設ヲ御許可相成候ニ就テハ下館附近ニ於テ該線路ト本線路トノ距離接近スルノ有之

以テ本線路中ノ一部即チ筑波町大島ヨリ官設下館停車場ニ至ル七哩七十参鎖ヲ大島ヨリ真壁郡紫尾村、真壁町、谷貝村、古里村、養蚕村、嘉田生崎村ヲ経テ官設鐵道下館停車場ニ達スル拾壱哩参拾参鎖トシ差引壱哩四拾鎖延長シ随チ軌間拡張ト線路延長トヲ伴フ敷設費ノ増加ヲ要シ資本金七拾萬圓ヲ九拾萬圓ニ変更仕度候間何卒御許可被成下度別紙起業目論見書及ヒ假定款中ノ訂正書其他必要書類及図面相添此段奉願候也

明治四十五年三月十一日

筑波鐵道株式會社発起人総代

佐分利　一嗣

内閣総理大臣　侯爵　西園寺　公望　殿

筑波鐵道株式會社設立起業目論見

第三、第四、第五、第六ヲ左ノ通訂正ス

三、線路ハ茨城懸新治郡土浦町ヲ起點トシ仝郡真鍋町、都和村、藤澤村、斗利出村、筑波郡小田村、北條町、田井村、筑波町、真壁郡紫尾村、真壁町、谷貝村、古里村、養蚕村、嘉田生崎村ヲ経テ官設鐵道下館停車場ニ至ル延長弐拾四哩五拾五鎖トス

四、軌間ハ参呎六吋ニシテ動力ハ蒸気トス

五、資本総額ハ金九拾萬圓トス

六、株式総数ハ壱萬八千株ニシテ壱株ヲ金五拾圓トス

筑波鉄道発起人に免許が下付されたのは1911(明治44)年４月20日で、工事施工認可申請期限は１年半後の1912(明治45)年４月19日であった。３月11日に軌間の変更と経由地の変更を願い出ていて、到底期限に間に合う状況ではなく、１年間の延長を願い出た。しかし、１年は長過ぎるとのことで、半年後の1912(大

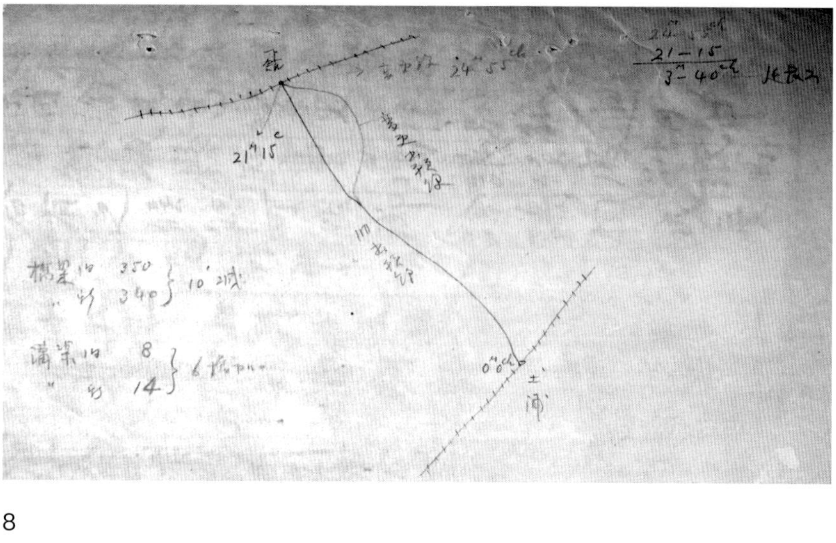

■大島～下館間変更出願線

岩瀬駅筑波線ホーム（手前）と水戸線ホーム（奥）。筑波鉄道は当初、下館を終点とする軽便鉄道として計画されたが、着工前に岩瀬終点に変更された。
1963.4.26　岩瀬　P：荻原二郎

正元）年10月19日が期限となった。

工事施工認可申請期限延長願

明治四十四年四月廿日付ヲ以テ免許状御下附相成居筑波鐵道敷設ノ儀ハ本年四月十九日迄ニ軽便鐵道法第三條ニ依ル御認可申請可仕ノ處種々調査ノ結果線路ノ一部ヲ變更シ且他日官線トノ聯絡上及ヒ輸送力増加ノ見込アルトニ因リ軌間拡張ノ必要ヲ認メ本年三月十一日付ヲ以テ右變更ノ儀出願仕置候次第ニ有之尚ホ沿線地方ニ於ケル有力者ニシテ追加発起人タランコトヲ希望スルモノ続々有之目下専ラ交渉取次中ニ御座候　右等ノ事情ヲ何分御命令ノ期限内ニ工事施行ノ御認可申請ノ運ヒニ至リ無候間　特別ノ御詮議ヲ以て右期間向フ一ケ年間延長ノ儀御許可被成下度此段奉願候也

明治四十五年三月三十日

筑波鐵道株式會社発起人総代
東京市牛込區南町十番地
佐分利　一嗣

内閣総理大臣　侯爵　西園寺　公望　殿

工事施工認可申請期限は1回目の延長で1912年10月19日となったが、期限内に認可申請はできず、1912年8月29日にさらに1年間の延長を申請した。その申請書類には次の記載がある。

東京及沿線地方ニ於テ尚ホ追加発起人希望者ト交渉中ノモノ有之且ツ目下事業界一時沈静ノ折柄株式ノ募集線路ノ實測等漸次遷延ニ相成

この申請は認められ工事施工認可申請期限は1913年10月19日となった。この間、1913（大正２）年２月22日に終点を岩瀬に変更する申請がなされた。

筑波鐵道線路終點變更願

明治四十四年四月廿日付ヲ以テ免許状御下附相成居候筑波鐵道線路中真壁郡真壁町ヨリ官設下館停車場ニ至ル間ニハ櫻川、小貝川、五行川ノ河川アリテ多額ノ架橋費ヲ要スルノミナラス稍モスレハ洪水氾濫シ将来尠ナカラサル保線費ヲ要スヘク経営上甚タ不利ト被存候ニ就テハ真壁下館間ハ之ヲ廃線トシ更ニ真壁ヨリ樺穂村、雨引村ヲ経テ官設岩瀬停車場ニ聯絡スルコトトシ費用ヲ節約スルト共ニ該區間ニ於ケル殆ント無尽蔵トモ云うへキ石材開發ノ利便ニ供シ度別紙起業目論見書及ヒ假定款中訂正書其他必要書類及図面相添此段奉願候也

大正二年ニ月廿二日

筑波鐵道株式會社発起人総代
東京市牛込區南町十番地
佐分利　一嗣

内閣総理大臣　山本　権兵衛　殿

筑波鐵道株式會社設立起業目論見

第一、第三ヲ左ノ通訂正ス

一、茨城懸新治郡土浦町ニ起リ仝縣西茨城郡西那珂村岩瀬ニ至ル間ニ軽便鐵道ヲ敷設シ一般運輸ノ業ヲ營ムヲ目的トス

三、線路ハ茨城懸新治郡土浦町ヲ起點トシ仝郡真鍋町、都和村、藤澤村、斗利出村、筑波郡小田村、北條町、田井村、筑波町、真壁郡紫尾村、真壁町、樺穂村、雨引村ヲ経テ官設鐵道岩瀬停車場ニ至ル延長弐拾四哩六拾鎖トス

終点の変更という大規模な出来事があったこともあって1913（大正２）年10月19日の期限内に工事施工認可申請はできず、1913年８月28日にさらに１年間の延長を申請した。その申請書類には次の記載がある。

客年末引続キ財界不況事業沈衰ノ折柄株式募集甚困難ニシ

絵葉書「筑波山全景…筑波鐵道」。筑波山を背景に蒸気機関車と２軸客車が描かれており、駅は常陸北条とされる。
大正後期　所蔵：白土貞夫

テ総株数ノ内尚ホ十分ノ二三株式引受勧誘中ノモノ有之到底御指令ノ期限内ニ於テ會社成立工事施工認可ノ申請スルノ運ヒニ至リ兼候間

この申請に対しては１年ではなく６ヶ月の延期が認められ、工事施工認可申請期限は1914（大正３）年４月19日まで延長された。申請書類の文言をつぶさに見ると、最初は強気にも読み取れたが、年と共に本音というか、苦心している様が読み取れる。

こうして1914年４月11日に筑波鉄道株式会社が設立され、初代社長には佐分利一嗣が就任した。

株主募集にあたっては『関東鉄道70年史』に詳しい経緯が記されている。

「株主募集に当たっては、申込用紙に発起人の引受株数が表示された。その筆頭者は浅野総一郎で、群を抜く800株・４万円を引き受けていた。東京在住者は浅野と佐分利を含む14名が2,430株、地元の発起人には、筑波郡が25名1,750株、真壁郡から15名、1,830株、ほか土浦町３名・300株、岩瀬町２名・70株となっていた。合計59名・6,380株となり、金額にすれば31万9,000円で計画公称資本金90万円の35%に当たった。また、引受株数を東京と地元の別でみれば、全体のほぼ３分の２が地元の発起人によるものであった。地元では起点の土浦町と終点岩瀬町の発起人が意外に少なく、筑波と真壁に集中している。それは、地元発起人の多くが在村地主もしくは町の有力者であって、大地主や製糸・商業者を中心に出資に応じたことを物語っている。」

浅野総一郎は早い時期に出資の約束を取りやめ、ほかにも脱退があり、失権株は佐分利ほかが肩代わりするなど波乱の幕開けであった。第１回取締役会は1914（大正３）年５月25日に筑波山神社図書館で開催、役員揃って参拝したという。

工事施工認可申請期限が1914年４月19日に迫るなか、綱渡り的ではあったが、1914年４月６日に1914年５月31日までの認可申請期限延長の請願がなされ、1914年４月18日に許可された。その申請書類には次の記載がある。

筑波鐵道株式會社創立ノ儀既ニ株式引受確定第一回払込モ結了シ来ル四月十一日創立総會開會ノ都合ニ御座候處工事施行認可申請期限ハ四月十九日限ニ付同日迄ニハ必ス該申請書可差出願ヲ以テ目下専ラ手続中ニ御座候得共會社設立後登記申請等ニ相當時日ヲ要シ候間何卒特別ノ御詮議ヲ以テ本年五月三十一日迄右工事施行認可申請期限延長ノ儀御許可被成下度此段奉願候也

そして1914年４月22日に念願の工事施行認可申請書が提出された。

(3) 着工に向けて

1914(大正3)年4月22日に提出された工事施行認可申請書は次の通りであった。

筑波鐵道株式會社工事方法書

一、単線

二、軌間ハ参呎六吋

三、建築定規及車輌定規ハ付属第三號圖ニ示ス

四、曲線ノ最小半径ハ本線ニ於テ二十鎖トス

五、線路の最急勾配ハ百分ノ一トス

六、施工差面ノ最小幅員ハ拾四呎ニシテ築堤及切通斜面勾配排水渠ノ寸法並ニ用地幅ハ付属第四號土木定規圖ニ示ス

七、橋臺ハ石材又ハ煉瓦石若クハ「コンクリート」ヲ以テ築造ス

基礎ハ地質ニ應シ堅牢ナル箇所ハ厚一呎以上貳呎以下ノ均シ「コンクリート」ヲ施シ　軟弱ナル箇所ハ厚一呎以上三呎以下ノ均シ「コンクリート」ヲ築造スルモノトス　其構造寸法等ハ付属第五號圖定規ニ依ル

枕木ハ長九呎末口六吋、長十二呎乃至十五呎ハ末口六吋、長十八呎以上ハ末口八吋　以上トス　其間隔ハ何レモ貳呎以下トス

橋桁径間三呎乃至五呎ノモノハ檜又ハ槻木桁一呎角材ヲ使用シ六呎乃至拾五呎ノモノハ輾壓鋼工形トシ貳拾呎及参拾呎ハ鋼製版桁ヲ使用ス　其構造寸法ハ付属第六號乃至拾貳號圖ニ示す

八、軌条及付属品ハ鋼製トス　軌条ノ長ハ参拾呎ニシテ壹碼五拾封度トス　其形状及接続方法ハ第十四圖ニ依ル

枕木ノ寸法及其間隔ハ付属第十五號圖ニ示ス如ク長参拾呎軌条ニ対シ拾貳挺ノ割合ヲ以テ敷置ス

普通枕木ハ栗材ヲ使用シ橋梁及転轍機並ニ撤叉ニ使用スヘキ枕木ハ檜材若クハ楮材ヲ使用ス

転轍機又ハ撤叉ノ構造ハ付属第拾六號乃至第十九號圖ニ示ス

九、停車場ニ於ケル退避側線及諸建造物ノ配置等ハ付属第二十一號及第二十三號圖ニ示ス

官設鐵道ト連絡スヘキ土浦停車場及岩瀬停車場設計ハ第二十號及第二十三號圖ニ示す

土浦停車場ハ現在設置アル官設停車場南側貨物線一部共同使用ノ御認可ヲ得其連絡ヲ保持スルモノニシテ連絡上ノ設備ニ對シテハ別ニ当該官廳ノ御認可ヲ得ルモノトス

停車場乗降場及貨物積卸場ニ於テ其擁壁突出面ヨリ軌道中心迄ノ距離ハ四呎六吋トス

乗降場面ノ高ハ軌条面ヨリ一呎六吋以上貳呎以下トシ貨物積卸條ハ参呎以下トス

本線路停車場ノ内藤澤、北條、筑波、真壁ノ四ケ所ヲ以テ中間列車行違ノ場所トシ両腕場内信号機ヲ設置ス

場内信号機ノ所定望見距離ヲ四拾鎖トス

其構造ハ第二十四號及第二十五圖ニ依ル

十、機関車ハ四輪聯結水槽式ニシテ重量三拾壹噸一五「コート」ノモノ四輌　其汽笛径及衛程等ハ付属第二十六號圖ニ示ス

客車ハ特等三拾人乗自重五噸一〇「コート」ノモノ四輌　並等ハ五拾人乗自重仝上ノモノ九輌　緩急機付並等客車四拾人乗自重仝上ノモノ三輌　合計十六輌ニシテ其形式及主要寸法等ハ付属第二十六號圖ニ示ス　緩急機付小荷物車ハ積載重量二噸一〇「コート」容積七〇三立法呎自重五噸一〇「コート」ノモノ三輌トシ手用制動機付ニシテ其形状及主要寸法等ハ付属第二十六號圖ニ示ス

有蓋貨車ハ重量六噸容積六二八立法呎自重四噸一〇「コート」ノモノ七輌ニシテ何レモ車側制動機付トス　緩急機付有蓋貨車ハ重量、自重共前記ト仝一ニシテ容積ハ六三五立法呎ノモノ三輌トシ手用制動機付ニシテ其形状及主要寸法等ハ付属第二十七圖ニ示ス

無蓋貨車ハ重量六噸容積七六二立法呎自重四噸一〇「コート」ノモノ拾五輌トシ車側制動機付トス　緩急機付無蓋貨車ハ容積、重量共前記ト仝一ニシテ自重四噸三「コート」手用制動機付五輌ニシテ其形状及主要寸法等ハ第二十七號圖ニ示ス

右機関車、客車、緩急機付小荷物車及各積載貨車ハ未タ全部設計ヲ了セサルヲ以大体ノ設計ニ止メ確定次第ニ御認可ヲ申請スルモノトス

十一、電氣通信ハ各停車場間ニ電話線ヲ架設シ電話器ヲ備ヘ其取扱ノ為スモノトス

筑波鐵道株式會社　主任技術者　佐分利　一嗣

1914年4月22日に工事施行認可申請が提出された後、同年6月28日のサラエボ事件をきっかけとする欧州大戦が勃発し、その影響を受けて鉄道建設資材が容易に集まらない事態となり、経由地の選定、用地買収もこじれたという。

『私鉄車両めぐり特輯 第Ⅲ輯』に収録されている臼井茂信・小石川多助・中川浩一氏による「常総筑波鉄道」に1915(大正4)年1月22日の報知新聞の記事が引用されている。

「筑波鉄道については世説紛々として停止するところを知らず、会社にては土地買収に着手するが、なおその裏面をうかがうに、一種のかいらい師にほんろうされたる如くにて、筑波郡民及び真壁郡民は一日も早く、其の敷設実行に

焦慮しつあるも一向進捗の模様なく、かくては何時開通するに到るや疑問とせざるを得ざる状態」

1914(大正３)年４月22日に提出された工事施行認可申請は1915(大正４)年２月１日に認可となった。そして、1911(明治44)年４月20日の免許から４年２ヶ月以上の歳月を経て1915年７月１日にようやく着工となった。

御　届

當會社鐵道敷設工事ノ儀本年七月一日ヨリ線路用地ノ買収ニ着手致候間此段御届申上候也

大正四年七月五日

東京市牛麹町區八重洲町一丁目一番地

筑波鐵道株式會社

取締役社長　佐分利　一嗣

内閣総理大臣　伯爵　大隈　重信　殿

前述の『私鉄車両めぐり』には次の記載がある。

「しかし、鉄道院の許可はあっても、県の認可は得られず、実際の着工は大5.2になってしまった。

工事は土浦駅付近の橋梁から開始されたが、北条駅予定地では農家と商家が対立し一夫、真壁駅予定地にあった真壁農学校の移転については、郡民大会まで開かれて反対されるなど、真にさんざんのありさまであった。

土地買収では、北条町付近では米一升30銭の時代に、１反歩(約10アール)に250円も払ってしまった例も存在している。世論に押されて開通をあせった結果であるが…(略)」

『関東鉄道70年史』には次の記載がある

「鉄道敷設関係工事は道路・橋梁・溝橋・排水等、沿線各町村との交渉を終えて大正５年２月７日付で許可を得た施設から、鹿島組が請け負い全線を３工区に分けて３月９日に着手した。」

(4) 土浦〜筑波間開業

開業に向けて車両の動きを追うと、1917(大正６)年12月５日に三枚側無蓋貨車使用認可申請と車両譲受使用認可申請が提出された。無蓋貨車はト１〜10を日本車輌で新造するもので1917年12月21日認可。車両譲受は鉄道院から客車12両(１等１両、２等11両)と手荷物緩急車３両の計15両を譲り受けるもので1918(大正７)年１月22日認可。

次いで1918年３月14日に機関車使用認可申請で鉄道院450形450〜452の３両を譲受。

さらに1918年４月16日認可申請で鉄道院から客車５両(２・３等合造１両、３等４両)を譲り受けた。この５両の認可は開業日の４月17日で、混迷の跡が見て取れる。国立公文書館に残る文書から、鉄道院車両の払い下げには中央鉄道なる会社が間に入っていて、苦心の跡が見られる。

車輛使用認可申請書

鐵道院ヨリ中央鐵道會社ニ御拂下ケ許可相成三等客車四輛並ニ貳参等客車壱輛ノ弊社ニ於テ同會社ヨリ拂下譲受致候ニ就テハ右車輛ノ圖面ヲ提出シテ使用認可ヲ受ク可キ手続中ノ處今般弊社線路一部院線土浦駅ヨリ社線筑波駅ニ至ル約拾貳哩二分ノ一間営業開始支度目下監査中ニ有之弊社ニハ右三等客車ノ外他ニ三等客車壱輛モ無之單ニ貳等客車ノミ所有致候有様ニテ右三等客車ノ使用不能ノ場合ハ非常ナル困難ニ陥り候事情ニ有之候間何卒特別ノ御詮議ヲ以テ右三等客車五輛ヲ開業ト同時ニ使用ノ儀御認可被成下度此段奉願候

元来右三等客車ハ中央鐵道會社カ未ダ線路ノ敷設ヲ為ササルニ先チ鐵道院ヨリ払下ノ御認可ヲ得再三入金ヲ怠リ窮之ノ際当時弊社ハ全線路築設工事ヲ了シ軌条敷設中ニ際シ三等客車皆無ノ折柄同鐵道會社ト妥協ノ末其払下金額ヲ代納シ直チニ本會社ノ所有ト為スベキ旨中央鐵道會社ヨリノ

■停車場表(土浦〜筑波間)

土浦	院線土浦驛共同使用 場内及遠方信号機
真鍋	機関車庫、給水給炭所 待避線、車庫線
虫掛	待避線
常陸藤沢	待避線
常陸小田	
常陸北條	待避線、向待合室
筑波	待避線、向待合室

※土浦ヲ除ク各駅ニ本屋及社宅、便所、乗降場、貨物積卸場、貨物線、場内信号機アリ
※各停車場ニ電話通信ノ設備アリ
※列車保安ハ票券式ニ依ル

■車両表(運輸営業開始申請)

種類	重量	輌数	製作所	形式構造
機関車	運転整備35.8t	3	米国ブルック	四輪連結八輪タンク
二等客車	定員20人 自重7.1t	1	新橋工場	貫通式四輪車
仝	定員24人 自重6.23t	1	仝	仝
仝	定員24人 自重6.22t	5	仝	仝
仝	定員24人 自重5.5t	2	仝	仝
仝	定員18人 自重5.5t	2	仝	手用制動機付貫通式四輪車
仝	定員24人 自重6.23t	2	仝	仝
手荷物緩急車	荷物積量2t 自重3.5t	3	福岡工場	貫通式四輪車
無蓋貨車	積重8t 自重6800斤	10	日本車輌	三枚側四輪車

備考　機関車及客車ハ鐵道院所有ノモノヲ払下タルモノナリ
尚中央鐵道ヨリ譲受使用認可申請中ノ三等客車ニ對スル認可ヲ得ル迄ハ二等客車ヲ三等客車ニ代用スルモノトス而シテ該三等客車ハ現場ニ到着シ居タルヲ以テ併セテ監査セルニ鐵道院ヨリ払下タルモノニシテ更ニ改造ノ形跡無ク運轉上支障ナキ状態ニアリ

絵葉書「筑波名勝 筑波驛と筑波山」。筑波駅構内から見た筑波山が描かれている。両腕場内信号機が見てとれる。
大正後期
所蔵：白土貞夫

申出ヲ容シ払下代納ノ上大宮工場ニ於テ直接弊社ガ授受致タルモノニシテ従来弊社ニ於テ鐵道院ヨリ直接払下ヲ受ケタルモノト同ジク総テ図面及工事方法書ノ御下付無之授受ヲ了シタルモノニシテ鐵道院ヨリ御払下ノ侭ノ状態ニテ改造其他何等手入ヲ為サズ総テ鐵道院従来ノ形式構造其侭ニ保管在候モノニ有之候間前陳ノ事情御諒案ノ上営業開始ト同時ニ使用ノ儀特別ノ御詮議ヲ以テ御認可被成下度別紙関係書類相添ヘ此段奉願候

大正七年四月拾六日

筑波鐵道株式會社

東京市牛麹町區八重洲町一丁目一番地

佐分利　一嗣

内閣総理大臣　侯爵　寺内　正毅　殿

線路建設、車両の調達など困難が続いた筑波鉄道は、1918(大正７)年４月10日に４月15日からの運輸営業開始申請を行い、４月16日に竣工監査報告書が提出され、４月17日に開業した。

大正七年四月十六日　技師　池上　重吉

技手　小橋熊三郎

雇　　宮原　志郎

筑波鐵道株式會社土浦、筑波間竣工監査報告書

竣工線路ハ茨城縣新治郡土浦町鐵道院土浦停車場中心ヲ起點トシテ起リ同縣筑波郡筑波町筑波停車場ニ至ル十二哩四十二鎖ニシテ、起點ヨリ零哩十四鎖六十節ニ至ル間ノ線路及建造物ハ総テ東部鐵道管理局ニテ設計及施行セルモノナリ

本區間線路ハ一望平坦ノ地ヲ通シ工事極メテ容易ニシテ大体竣功ヲ告ケ車輛其他運轉運輸ノ設備モ概ネ完成セリ右線路工事ノ概要ハ別紙圖面、工事方法概要書及諸表ノ如シ

鐵道院ヨリ払下ヲ受ケタル荷物緩急車三輌ハ車輪「バックゲージ」三呎三吋十六分ノ十一ヲ有シ試運転ニハ格別支障ナカリシモ既認可工事方法ト一致セズ改造未済ナリ　尚外部塗装修理中ニシテ其ノ改造及修理ヲ了スル迄ハ手用制動機付二等車ヲ以テ緩急車トスルコトヲ得ヘシト遅滞ナク整理セシムル要アリ

機関車ニ客貨車各種取寄セ十六輌又ハ十二輌ヲ連結シ最大速度ヲ以テ本區間ヲ走行セシメタルニ線路、車輛共異状ナク運轉安全ナリ　依テ本區間運輸開始ノ件支障ナシト認ム

開業時の列車運行回数は、午前と午後３回ずつの６往復であった。

(5) 筑波～真壁間開業

1918(大正７)年４月17日に土浦～筑波間が開業した後、1918年５月31日使用認可申請で鉄道院から手荷物緩急車１両を譲り受けた。その使用認可申請書からは、延伸開業後２個列車編成が必要で、そのためには緩急車４両が必要(編成の最前部と最後部に配置と思われる)で、現有３両から不足する１両を調達したい旨が記されている。

そして1918年５月31日に筑波～真壁間の運輸営業開始申請を行い、６月６日に竣工監査報告書が提出され、６月７日に開業した。

大正七年六月六日　技師　高井壽二郎
雇　　三岡　平治

筑波鐵道株式會社筑波、真壁間竣工監査報告書

竣工線路ハ茨城懸筑波郡筑波町土浦起点十二哩四十二鎖既設筑波停車場ヨリ仝懸真壁郡真壁町土浦起点十八哩六十一鎖六十節ニ於ケル真壁停車場ニ至ル延長六哩十九鎖ニシテオオムネ田圃ノ間ヲ通シ地勢平坦且河川等ノ著シキモノモナク工事頗ル容易ナリ本區間線路ハ大体竣功ヲ告ケ運轉其ノ他一般ノ設備モ亦完成セリ右線路工事ノ概要ハ別紙圖面工事方法概要書及諸表ノ如シ　試ニ重量三十五噸八分ノ機関車ニ客車七輌ヲ連結シ所定最大速度ヲ以テ本區間ヲ走行セシメタルニ格別異常ナク運轉安全ナリ　依テ本區間運輸開始ノ件支障ナシト認ム　但シ左記工事方法ニ就キ相當手続ヲ経ルノ必要アリ

軌条継目板変更ノ件

真壁停車場ニ假給水器設置ノ件

■停車場表（筑波～真壁間）

上大島	本屋、乗降場、向乗降場、便所、 貨物積卸場、退避側線、信号機、貨物側線
紫尾	本屋、乗降場、貨物積卸場、貨物側線、便所
真壁	本屋、乗降場、向乗降場、待合所、便所 貨物積卸場、退避側線、信号機、貨物側線 假給水器

※各停車場ニ電話通信ノ設備アリ

(6) 真壁～岩瀬間開業で全通

1915(大正４)年２月１日に認可となった土浦～岩瀬間工事施行は、竣工期限が1918(大正７)年７月31日で、1918年６月７日までに土浦～真壁間が開業したものの真壁～岩瀬間は工事竣工期限延長の必要が生じた。1918年７月23日申請で、官線岩瀬駅での連絡工事遅延を理由として２ヶ月の延長が認められた。

岩瀬駅の院線との連絡跨線橋以外の工事が竣工したとして、1918(大正７)年８月30日に９月３日からの運輸営業開始申請を行った。監査の過程で蒸気機関車３両では予備機がない状態であることが指摘され、1918年９月２日申請で９月２日から10月１日までの30日間、鉄道院東部管理局から611号を借り入れることとなった。９月６日に竣工監査報告書が提出され、９月７日に真壁～岩瀬間が開業、取手～岩瀬間が全通した。

大正七年九月六日　技手　榊原久太郎

筑波鐵道株式會真社真壁、岩瀬間竣工監査報告書

竣工線路ハ茨城懸真壁郡真壁町土浦起点十八哩六十一鎖ニ於ケル既成真壁停車場ヨリ仝懸西茨城郡西那珂村ニ於ケル國有鐵道水戸線岩瀬停車場構内ヲ終点トセル延長六哩十九鎖ニシテ地勢平坦工事モ亦容易ナリ本區間線路ハ大体竣功

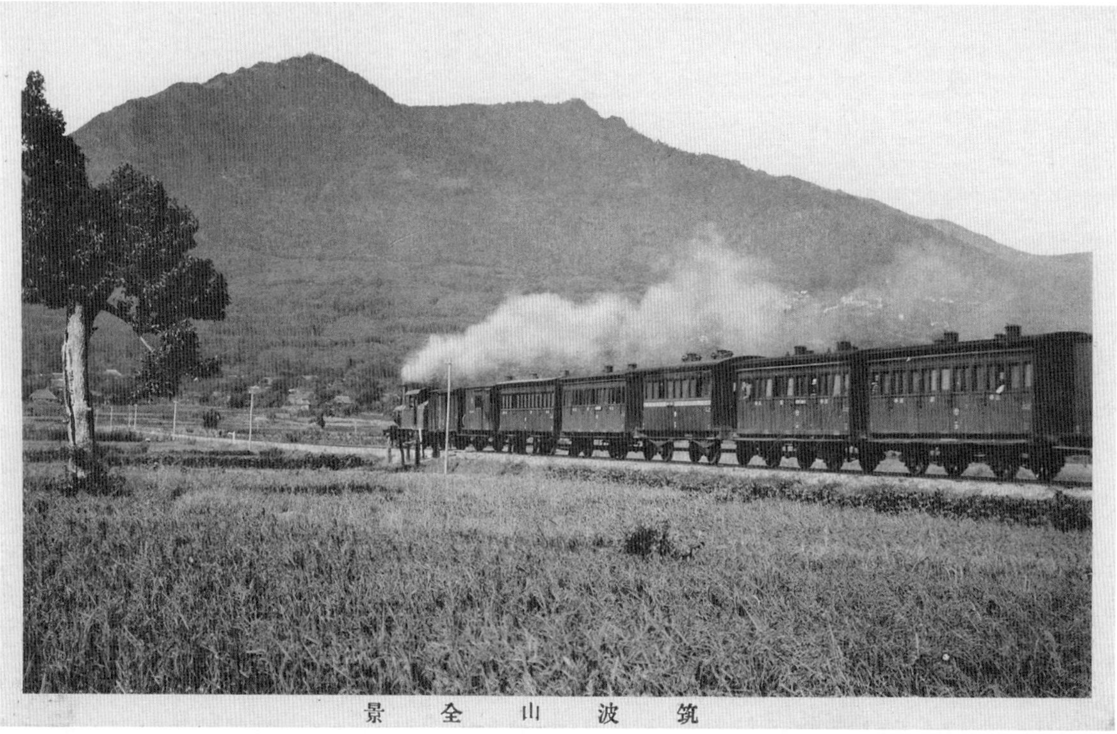

絵葉書「筑波山全景」。筑波山を背景に岩瀬方向へと向かう、蒸気機関車の牽引する下り混合列車が描かれている。
大正後期　所蔵：白土貞夫

■停車場表(真壁〜岩瀬間)

雨引	本屋、乗降場、貨物積卸場、側線、便所
岩瀬	乗降場、向上家、便所、機関車庫、給水器 石炭台、跨線橋、側線

※但シ岩瀬停車場ニ於ケル跨線橋及院線トノ聯絡渉線ハ未成功ナリ
※電気通信設備ハ一回線ヲ架シ各停車場ニ電話機ノ取付ヲ了セリ
※列車運轉保安法ハ票券式ニ依ル

ヲ告ケ運轉設備モ亦完成セリ　右線路工事ノ概要ハ別紙圖面、工事方法概要書及諸表ノ如シ
機関車一輌客貨車六輌ヲ連結シ所定最大速度ヲ以テ本區間ヲ走行セシメタルニ格別ノ異常ヲ発見セズ　依テ運輸開始ノ件支障ナシト認ム　但シ左記各項ノ施設ハ地帯ナク竣功セシムルヲ要ス軌条継目板変更ノ件
岩瀬停車場ニ於ケル跨線橋架設
同停車場ニ於ケル院線トノ連絡渉線敷設

但シ岩瀬停車場ニ於ケル跨線橋及院線トノ聯絡渉線ハ未成功ナリ
電気通信設備ハ一回線ヲ架シ各停車場ニ電話機ノ取付ヲ了セリ
列車運轉保安法ハ票券式ニ依ル

全通はしたものの蒸気機関車の増備は進まず、1918(大正７)年９月30日申請で611号の借入期間を30日延長して10月31日までとした。さらに10月30日届出で11月30日までとした。年度末に近い1919(大正８)年３月20日に本社を東京市内から真鍋駅に近い真鍋町大字真鍋999番地に移転した。

蒸気機関車１両の増備は、1919年３月15日機関車使用認可申請で、鉄道院5491(整備重量44.66tのテンダー機)を譲り受けた。鉄道統計資料によると1918年度末の蒸気機関車は３両107tで、1919年度末が１両31tと３両108tなので、1919年度に入ってからの認可・竣工と思われる。

1919年６月30日届出で、岩瀬の機関庫は撤廃され、その機能が真壁に移された。従前終列車の牽引機を岩瀬で留置していたものを、留置場所を真壁に変更したための措置であった。機関車の調子は万全ではなかったようで高い修理費をかけても運転できなくなるほどの状態に陥ったりもした。1919年11月22日申請で11月22日から11月24日まで鉄道院1045号を借り入れ、1920(大正９)年２月21日申請で所有機関車検査のため２月28日から３月31日まで青梅鉄道所有機を借り入れた。

営業期間がフルとなった1919(大正８)年度の輸送人員は54万人、貨物は68,005t、営業収入169,808円、営業費148,441円・営業益金21,427円(政府補助金50,920円受領)であった。列車走行距離は混合列車101,210哩で、全列車が土浦〜岩瀬間とすると11.2本(６往復程度の運転)となる。

1919年度末の在籍車両は次の表の通りであった。

■1919(大正８)年度末在籍車両

		自重(t)	定員(人)	前所有者・番号	製造所
機関車	1号	35.8		鉄道院950	ブルックス
	2号	35.8		鉄道院951	ブルックス
	3号	35.8		鉄道院952	ブルックス
	4号	44.66		鉄道院5491	ピーコック
1等客車	フロ1	7.1	20	鉄道院フイ146	新橋工場
2等客車	ロ1	6.23	24	鉄道院ロ773	新橋工場
	ロ2	6.23	24	鉄道院ロ777	新橋工場
	ロ3	6.23	24	鉄道院ロ779	新橋工場
	ロ4	6.23	24	鉄道院ロ786	新橋工場
	ロ5	6.23	24	鉄道院ロ787	新橋工場
	ロ6	6.23	24	鉄道院ロ781	新橋工場
	ロ7	6.23	24	鉄道院ロ783	新橋工場
	ロ8	5.5	24	鉄道院ロ790	新橋工場
	ロ9	5.5	18	鉄道院ロ791	新橋工場
	フロ2	6.23	24	鉄道院フロ844	新橋工場
	フロ3	6.23	24	鉄道院フロ845	東京三田 製作所
2・3等合造客車	ロハ1	6.89	46	鉄道院ロハ900	神戸工場
3等客車	ハ1	6.04	50	鉄道院ハ2067	神戸工場
	ハ2	6.04	50	鉄道院ハ2070	神戸工場
	ハ3	6.04	50	鉄道院ハ2077	神戸工場
	ハ4	6.04	50	鉄道院ハ2078	神戸工場
手荷物緩急車	ニ1	5.6		鉄道院ニ4391	
	ニ2	3.5	荷物2t	鉄道院ニ4392	福岡工場
	ニ3	3.5	荷物2t	鉄道院ニ4393	福岡工場
	ニ4	3.5	荷物2t	鉄道院ニ4394	福岡工場
無蓋貨車	ト1	6800斤	8t積	(新造)	日本車輌
	ト2	6800斤	8t積	(新造)	日本車輌
	ト3	6800斤	8t積	(新造)	日本車輌
	ト4	6800斤	8t積	(新造)	日本車輌
	ト5	6800斤	8t積	(新造)	日本車輌
	ト6	6800斤	8t積	(新造)	日本車輌
	ト7	6800斤	8t積	(新造)	日本車輌
	ト8	6800斤	8t積	(新造)	日本車輌
	ト9	6800斤	8t積	(新造)	日本車輌
	ト10	6800斤	8t積	(新造)	日本車輌

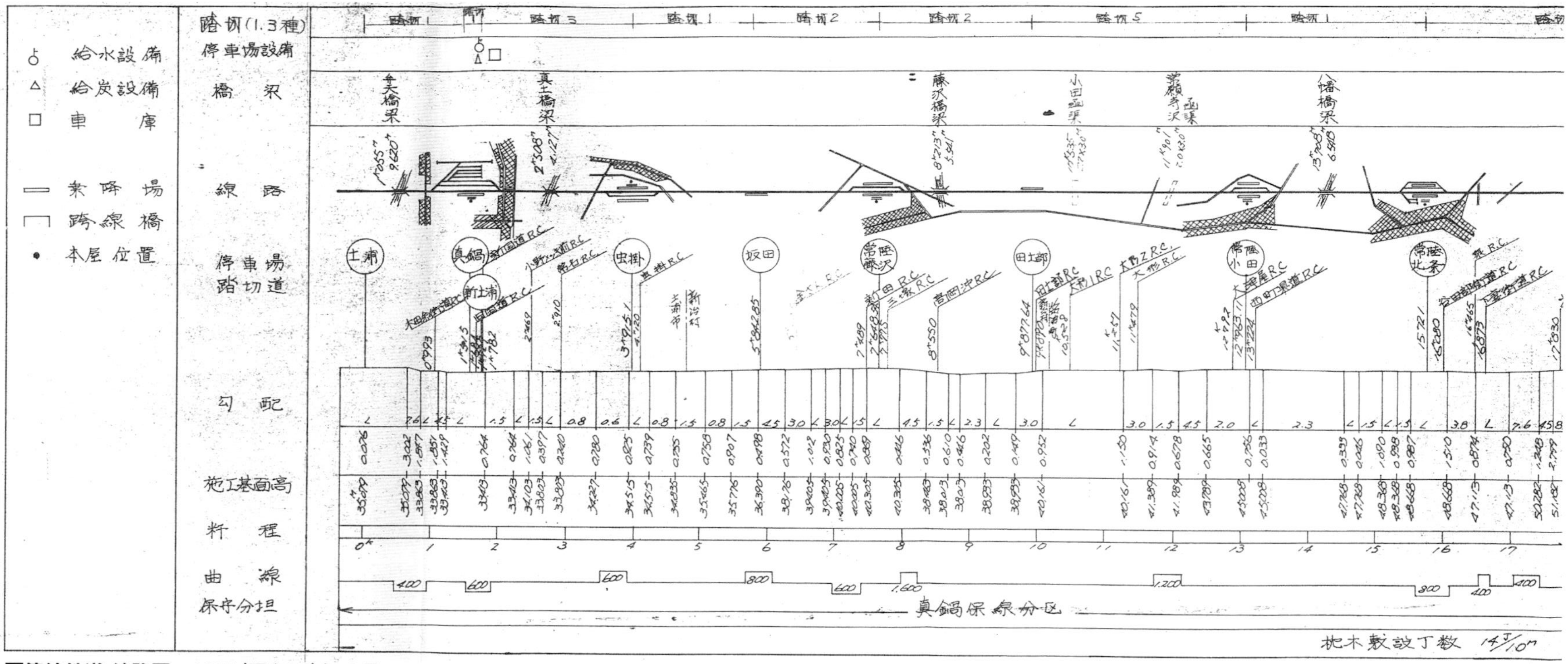

■筑波鉄道 線路図　1981(昭和56)年４月

駅配線図
(上記線路図より抜粋、一部加筆)

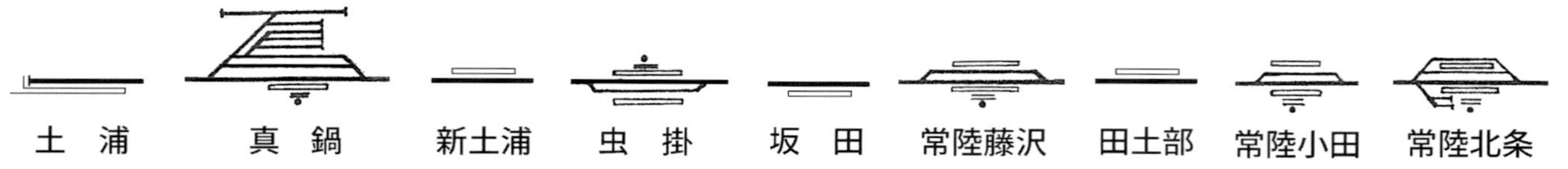

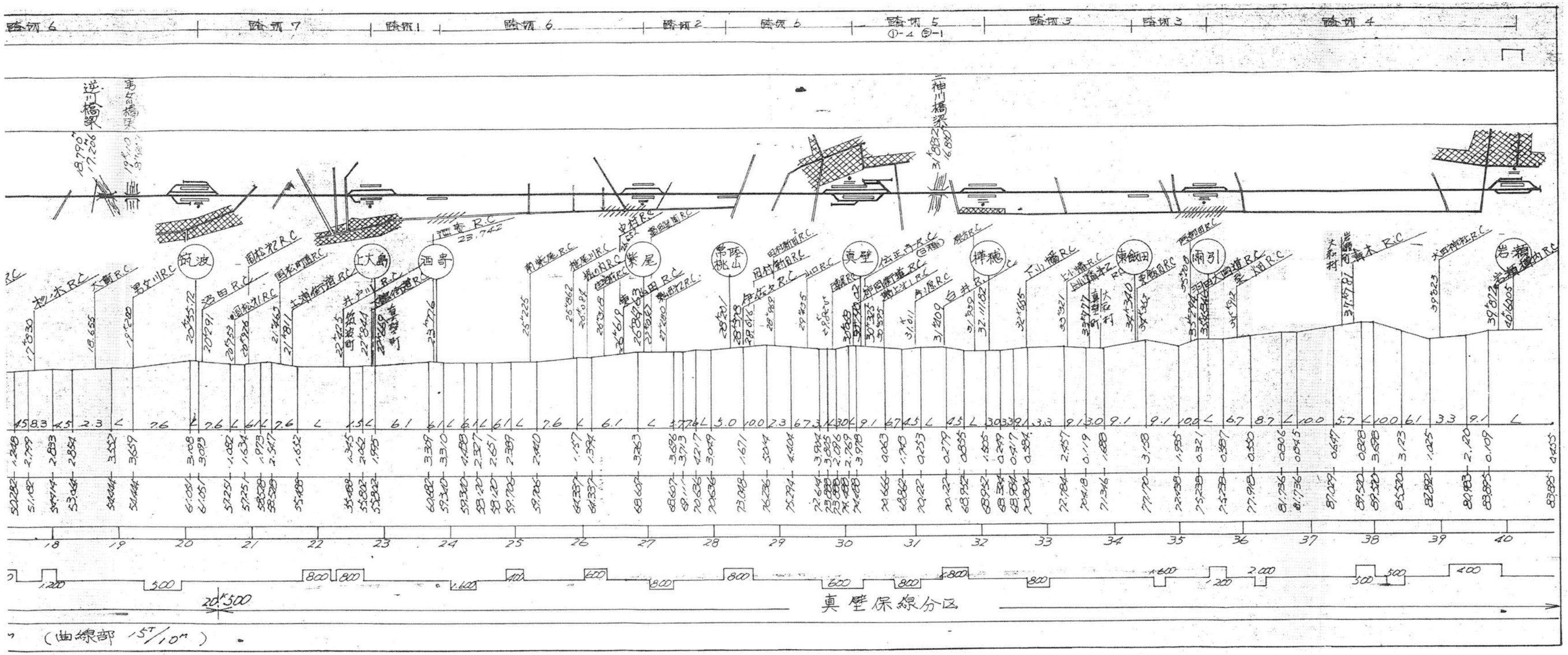
踏切 6
踏切 7
踏切 1
踏切 6
踏切 2
踏切 5
踏切 5
踏切 3
踏切 3
踏切 4
逆川橋梁
二神川橋梁
筑波
上大島
酒寄
紫尾
常陸桃山
真壁
樺穂
東飯田
雨引
岩瀬
18
19
20
21
22
23
24
25
26
27
28
29
30
31
32
33
34
35
36
37
38
39
40
真壁保線分区
（曲線部 15T/10m）

筑 波
上大島
酒 寄
紫 尾
常陸桃山
真 壁
樺 穂
東飯田
雨 引
岩 瀬

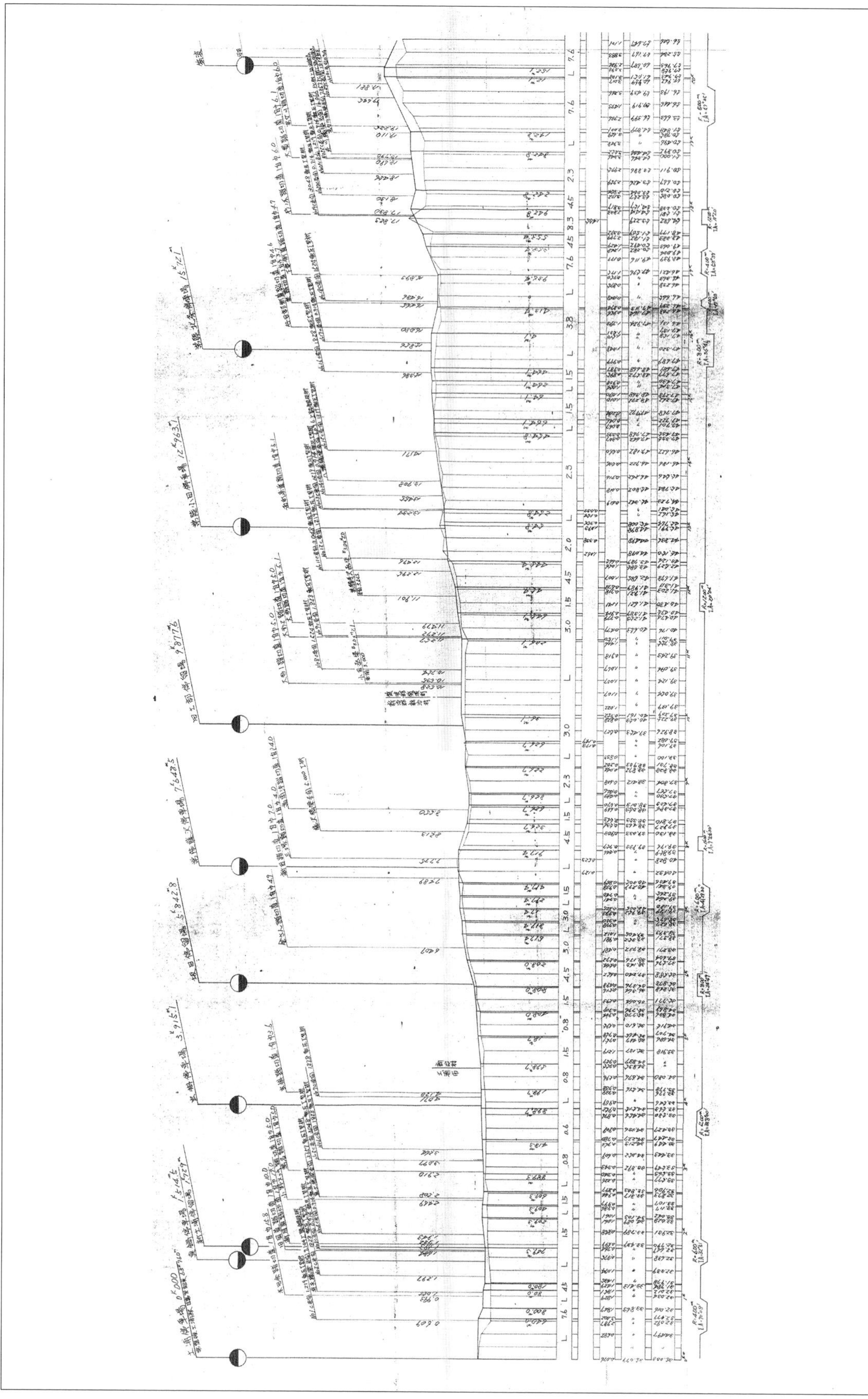

■筑波鉄道線(土浦〜筑波間)線路縦断面図

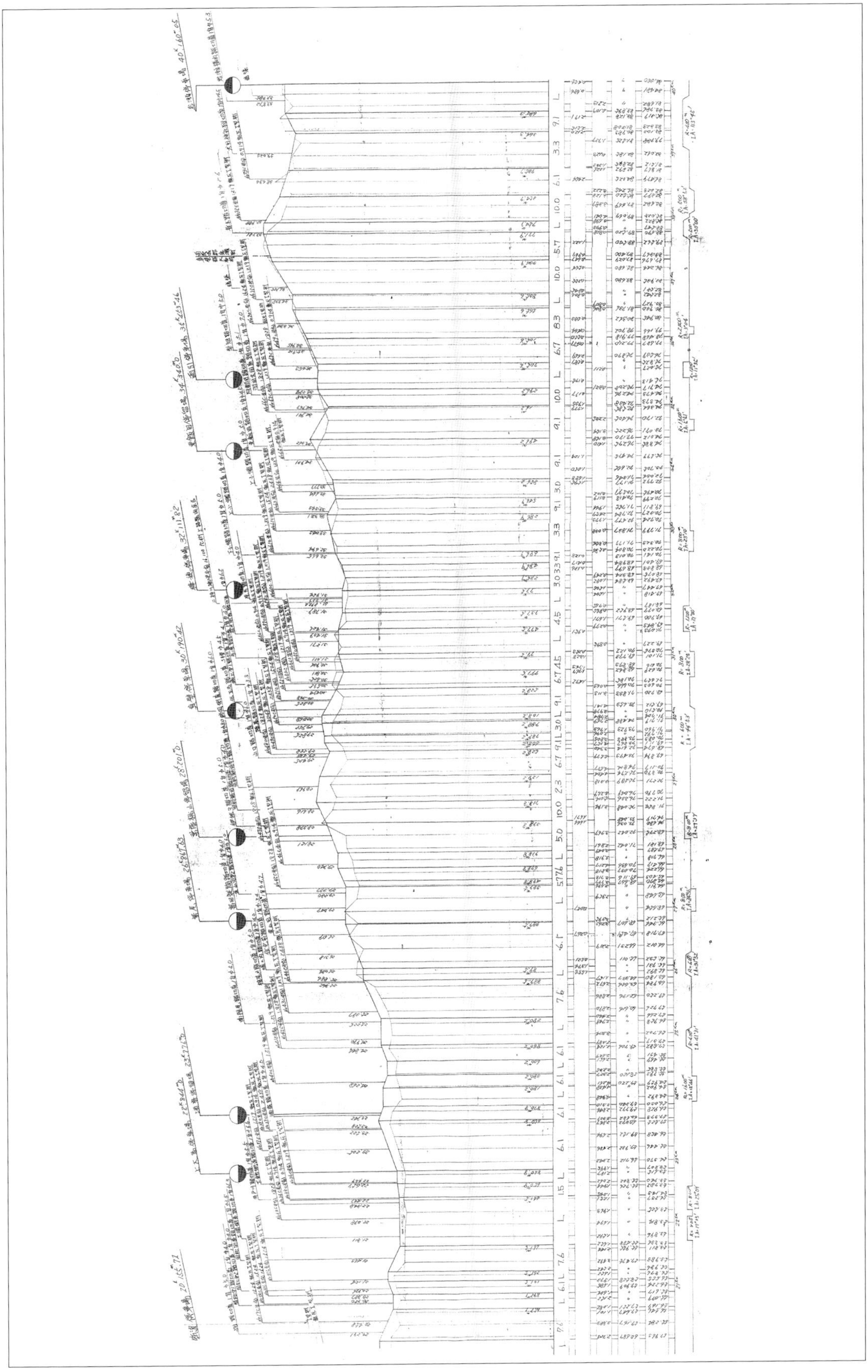

■筑波鉄道線(筑波～岩瀬間)線路縦断面図

汽車会社製(1924年)の45t、1C1形タンク機6号。
1939.12.3　真鍋機関区
P：橋本哲次
(所蔵：宮田寛之)

(7) 輸送量増加と輸送力増強

開業時の客車はすべて鉄道院払い下げの２軸客車であった。当初は鉄道院の車種をそのまま引き継いでいて、1920(大正９)年４月28日に「客車車種番号其他変更並びに吊革設置届」で、２等車４両、３等車13両、手荷物緩急車４両となった。

貨車は無蓋貨車10両(ト１～10)でスタートを切り、1920年５月８日に貨車購入認可申請で有蓋貨車ワ20～24の５両と無蓋貨車ト20～34の15両、1922(大正11)年４月10日貨車購入認可で無蓋貨車ト40～59の20両が新造された。これらは全て日本車輛による新造車で、機関車と客車が鉄道院・省からの払い下げ、貨車が新造であった理由はよくわからない。ただ1922(大正11)年３月20日貨物緩急車使用認可申請で鉄道省からワフ１～４の４両を譲り受けていて、単に出物の関係であったのかもしれない。

1920(大正９)年５月８日に貨車購入認可申請時の理由書から当時の貨車の使用状況を垣間見ることが出来る。1919年下期の自社貨車は車線内のみで走行距離13,500哩、鉄道省車2,089車(一日平均11.5車)47,229哩。『関東鉄道70年史』によると1919年下期は常時３～４千トンの滞貨を抱え、年末は「絶大ノ滞貨」を擁して越年する事態に陥った。貨物輸送量は1920年度76,227t、1921年度80,522t、1922年度99,407t、1923年度102,531tと増加が続き、貨車の増備に納得できる。

筑波鉄道沿線の産業は、米作を中心とする農業、繭、製糸、醸造業で、真壁・樺穂地区では加波山と足尾山から切り出される黒雲母花崗岩の石材業が栄えた。

1922(大正11)年３月20日に開業した樺穂停車場は石材搬出のために出来たようなもので、その搬出用に軌間610mm(２フィート)のトロッコが敷設された。このトロッコは1921(大正10)年10月10日設立の樺穂興業株式会社によるもので、1923(大正12)年３月21日に軌道法による特許を受け、1923年８月28日に加波山の採石場から樺穂駅までの1.61マイル(2.84km)が開業し、片勾配を利用して人力で輸送した。1926年度に貨車21両を有し、1928年度の輸送量は10,515tであった。1937(昭和12)年11月20日にさらに0.8km延長の特許を受け、全長は3.7kmとなった。驚くことに戦後まで営業は続き、廃止日は1954(昭和29)年９月30日であった。輸送量は1949年度3114tが記録に残る最後で、1950年以降は休止であった

石材輸送とともに筑波鉄道の特徴であったのは、筑波山と霞ケ浦を沿線に持つことであった。筑波山は信仰に加え、やまと新聞(1886～1945年に日刊新聞を発行)が1918(大正７)年に主催した全国36避暑地投票で３位に選ばれるなど、観光地として人気が高まっていた。1919(大正８)年下期の営業報告書には「筑波登山客ノ激増ハ実ニ驚クベキ数ヲ示シ輸送上困難ヲ感ズル」とある。

その筑波山への観光客輸送を目的として筑波山鋼索鉄道宮脇～筑波山間1.6kmが1922(大正11)年11月16日免許、1923(大正12)年４月14日会社設立、1925(大正14)年10月12日開業で誕生した。

車両に目を向けると、1922年度の早い時期には蒸気機関車４両。客車21両・有蓋貨車９両・無蓋貨貨車45両の体制となった。

蒸気機関車に関しては『関東鉄道70年史』に次の記載がある。

「機関車は３両が運行不能に陥り、修理・大修理を重ねていた。しかし、もはや手の施しようもなくなり…(略)」

1922(大正11)年７月５日機関車購入許可申請・10月５日認可で1C1形六輪連結十輪タンク式機関車５号機(運転整備重量42t)が汽車製造で新造され、1923(大正12)年２月１日竣工。６号機と７号機は1923年7月12日機関車購入許可申請で、６号機は1924(大正13)年６月19日増加届、７号機は1924年７月10日新造届で竣工した。これらは１・２・３号機を汽車製造に売却し、その代用品としての調達であった。１・２・３号機の汽車會社への売却は1924年６月30日付けであったが、一時期、機関車不足から１号機を借り入れた記録が国立公文書館書類に残っている。

大正十四年三月十日

筑波鐵道株式會社

社長　谷口　新平

鐵道大臣　仙石　貢　殿

申　請　書

弊社現行列車運轉ノ度数ハ来四月一日ヨリ増加致度三月十日附変更認可申請仕候處現在機関車数ニテハ走行哩超過致候ニ付大正十三年六月三十日御認可ヲ得汽車製造株式會社へ譲渡ノ機関車ノ内第一號ヲ借入致度候御認可被成下度此段及申請候也

追而右借入期間ハ大正十四年一月九日第一號ヲ以テ購入認可申請中ノ機関車竣工迄ノ豫定ニ有之　尚借入スベキ第一號機関車ハ目下当會社ニ保管中ニ有之候　尚當社既認可設計ヲ変更セス且運轉使用ニ堪エ得ルモノニ有之

８号機は運転整備重量44tとなって1925(大正14)年１月９日機関車設計変更認可で増備、９号機は1925年11月2日機関車購入認可申請・12月26日認可で1926(大正15)年６月30日に竣工した。

ボギー客車の導入は、1925(大正14)年５月５日竣工の四輪ボギー３等客車２両(ホハフ101・102)と２・３等合造客車１両(ホロハ201)からで、２度にわたって増備され、1927(昭和２)年６月29日にナハフ101～105とナロハ201～204が増備されてボギー客車９両が揃った。これらの客車は宇都宮延長線での電化を見据えて台車は電装可能なTR14であった。この時点で客車４両が笠原鉄道に転じたが、その他の単車はガソリンカー導入まで車籍を持ち続けた。

筑波鉄道と鉄道省の直通運転に関しては『関東鉄道70年史』に３つの記載がある。

「大正11年には東京・上野で平和記念博覧会が開催され、会期の３月10日から７月末日にかけては、博覧会行臨時列車を運転するとともに(略)…12年度には(略)上野～筑波間に直通列車を運行するなど努力のかいもあったようである。15年度のケーブルカー輸送人員は約24万人で…(略)」

関東で２番目にできた筑波山ケーブルカーは、関東初の箱根よりも首都に近く、鉄道省が５月から上野～

バック運転の汽車会社製1C1形タンク機８号が牽引、筑波方面に向かう混合列車。
1952.8.10　真鍋
P：柴田重利
(所蔵：宮田寛之)

筑波間に臨時直通列車を運転したこともあって、筑波山人気を一段と高めたのであった。

この３つの記載から直通運転があったことが読み取れるが、公文書館に残る資料からは、1929（昭和４）年３月11日客車直通運転認可申請で鉄道省22000形ボギー客車の直通乗り入れを申請した記録がある。春秋旅行シーズンにおける筑波登山客をはじめとする団体旅客の列車に備えるとしている。また、『週刊朝日百科』の白土貞夫氏の記述に「1925（大正14）年10月には筑波山に鋼索鉄道（ケーブルカー）が開通したこともあって観光客が激増。翌年５月からは、行楽シーズンの上野～筑波間に、臨時列車が直通するようになった。これは戦時下の一時期を除き、戦後も続いた。」とある。

ここで筑波山のケーブルカーについて触れておくと、筑波山鋼索鉄道は1923（大正12）年４月14日に設立され、1925（大正14）年10月12日に宮脇～筑波山頂間が開業した。筑波山にケーブルカーを建設する計画は、東京の事業家で政友党の代議士、そして鹿島参宮鉄道の社長であった高柳淳之助が、当時、奈良県生駒山に開設された生駒鋼索鉄道のケーブルカーを見て発起した。関東地方では箱根登山ケーブルカーに次ぐ開業で、観光客の集客に力を発揮した。筑波鉄道は資金の提供などを行い、1928（昭和３）年に筑波鉄道の専務が筑波山鋼索鉄道の専務を兼ね、箱根鋼索鉄道の社長は筑波鉄道の取締役に就任するなど浅からぬ関係であった。戦時中に不要不急の路線が休止の要請を受け、観光客の輸送の比重の高い筑波山鋼索鉄道は1944（昭和19）年２月11日に廃止となった。戦後は1954（昭和29）年11月３日に営業を再開し、今日でも盛業中である。

なお、筑波山鋼索鉄道は1999（平成11）年10月１日に筑波山ロープウエーを合併して「筑波観光鉄道」に社名を変更したが、路線名は「筑波山鋼索鉄道線」のままである。

（8）宇都宮延伸計画と免許失効

1926（大正15）年12月17日申請で岩瀬～真岡～宇都宮間の免許が申請された。延長線を必要とする事由に軍事上の視点が一番目に挙げられているのが時代背景と読み取れる。この申請は1928（昭和３）年５月26日に免許となった。

■鉄道免許状下付　昭和三年五月二十六日

動力	軌間	起終点	延長哩程	建設費
蒸気	三呎六吋	茨城縣西茨城郡岩瀬町 栃木縣宇都宮市	二十哩七十鎖	百九十萬圓

筑波鐵道延長線岩瀬宇都宮間鐵道敷設免許状申請書

本會社既設線土浦岩瀬間鐵道ヲ延長シ水戸線岩瀬驛ヨリ真岡線真岡驛ヲ経テ東北本線宇都宮驛ニ連絡シ宇都宮付近ヨリ常磐線ニ至ル距離ヲ短縮シテ旅客貨物ノ輸送ニ便コレ併セテ沿道ニ於ケル地方産業ノ開發ニ資センガ為メ右延長線鐵道ヲ敷設致シ度候ニ付特別ノ御詮議ヲ以テ御免許可被成下度地方鐵道法第十二条ニ依リ関係書類並ニ図面相添ヘ此段申請也

大正十五年十二月十七日

茨城縣新治郡真鍋町大字真鍋九百九拾九番地

筑波鐵道株式會社

取締役社長　谷口　彰平

内角総理大臣　子爵　井上　匡四郎　殿

起業目論見書

一、目的

茨城縣西茨城郡岩瀬町ヨリ栃木縣宇都宮市ニ至ル間ニ地方鐵道法ニ依ル蒸気鐵道ヲ敷設延長シ一般旅客貨物運輸ノ業ヲ營ムヲ以テ目的トス

二、會社ノ名称及本社設置地

名　　称　筑波鐵道株式會社

本社設置地　茨城縣新治郡真鍋町

三、事業資金ノ総額及其出資方法

金壹百九拾萬圓トシ増資ニヨリ之ヲ参萬八千株ニ分チ壹株ノ金額ヲ金五萬圓トス

四、線路ノ起終点及其経過スヘキ主タル市町村名

起　点　茨城縣西茨城郡岩瀬町　國有鐵道岩瀬驛

終　点　栃木縣宇都宮市　國有鐵道宇都宮驛

経過地　栃木縣芳賀郡田野村、山前村、真岡町、大内村、栃木縣河内郡瑞穂野村、横川村

五、軌間

軌間ハ三呎六吋トス

六、動力

蒸気

一、延長線ニ沿フ交通ノ状況

旅客関係　岩瀬　大泉間、乗合自動車　一日三往復

大泉　真岡間、交通機関ト認ムベキモノナシ

真岡宇都宮間、乗車自動車　一日五往復

貨物関係　岩瀬　真岡間、交通機関ト認ムベキモノナシ

真岡宇都宮間、荷馬車、自動車　数回

二、延長線ヲ必要トスル事由

茨城福島縣中常磐線沿線及千葉縣ノ大部分ト延長線沿道及栃木縣宇都宮附近並日光線沿道各地方トノ交通哩程ヲ短絡スルガ故ニ之ニ依リテ生スル利便左ノ如シ

イ.宇都宮所在第十四師団ト水戸所在第二連隊トノ聯絡及該

地方民並ニ沿道民相互ノ交通ヲ敏活容易ナラシム
ロ. 第十四師団ト霞ヶ浦航空隊トノ聯絡及該地方民並ニ沿道民相互ノ交通ヲ敏活容易ナラシム
ハ,日光、塩原、三浜地方、筑波山、霞ヶ浦航空隊、炭鉱所在地等相互間ニ於ケル見学視察遊覧客ノ利便少ナカラズ
ニ,常磐線沿道ノ大部分及千葉縣下大部分ト延長線沿道並ニ栃木縣下宇都宮附近及日光線沿道トノ物資ノ交換(例エバ千葉、茨城、福島縣下沿岸ニ於テ漁獲スル鮮魚、常磐線各駅發石炭、水戸線各駅發石材、宇都宮、日光線附近發石材、木材、木炭等ノ相互取引)ニ時間ト運賃ヲ軽減セシム
ホ,延長線沿道僻地ノ開発ヲ促進ス
ヘ,沿道大泉附近ニ在ル石灰石ヲ搬出シ、下篭谷、真宿附近ニ或ル鬼怒川ヨリ砂利ヲ採取搬出スル等地方未発ノ富源ヲ開発ス

工事施工認可申請期限は免許時が1929(昭和4)年11月25日で、以降1年ごとに延長申請を行った。最初の期限延長認可申請書類は次の通り。

工事施行認可申請期限延長申請書

昭和三年五月二十六日監第一四四三號ヲ以テ免許相受候當會社延長線岩瀬宇都宮間鐵道敷設工事施工認可申請期限ハ本年十一月二十五日迄ノ處期限ヲ昭和五年十一月二十五日迄ヨ延期ノ儀御許可被成下度別紙理由書相添及申請候也

昭和四年九月四日

筑波鐵道株式會社

取締役社長　谷口　新平

鐵道大臣　江木　翼　殿

理由書

財界不況ノタメ株式ノ募集困難ニシテ未ダ資本増加ノ運ビニ至ラザルト実測ヲ了シタルモ関係官公署トノ設計協定未済ノタメ本申請ヲ為スモノナリ

その後も1年ごとに延長を繰り返し、5度目の延長申請を1933(昭和8)年10月16日に願い出ると、1934(昭和9)年1月23日に免許失効に至った。

昭和八年十月十六日附申請岩瀬町宇都宮市間工事施工認可申請期限延長ノ件聴届ケ難シ

昭和九年一月二十三日

大　臣

理由

本区間鐵道ハ免許以来数年ヲ経タルニ未ダ工事施工認可申請ノ運ビニ至ラサルモノニシテ到底近キ将来ニ於テ成業ノ見込無キモノト認メラルルニ付

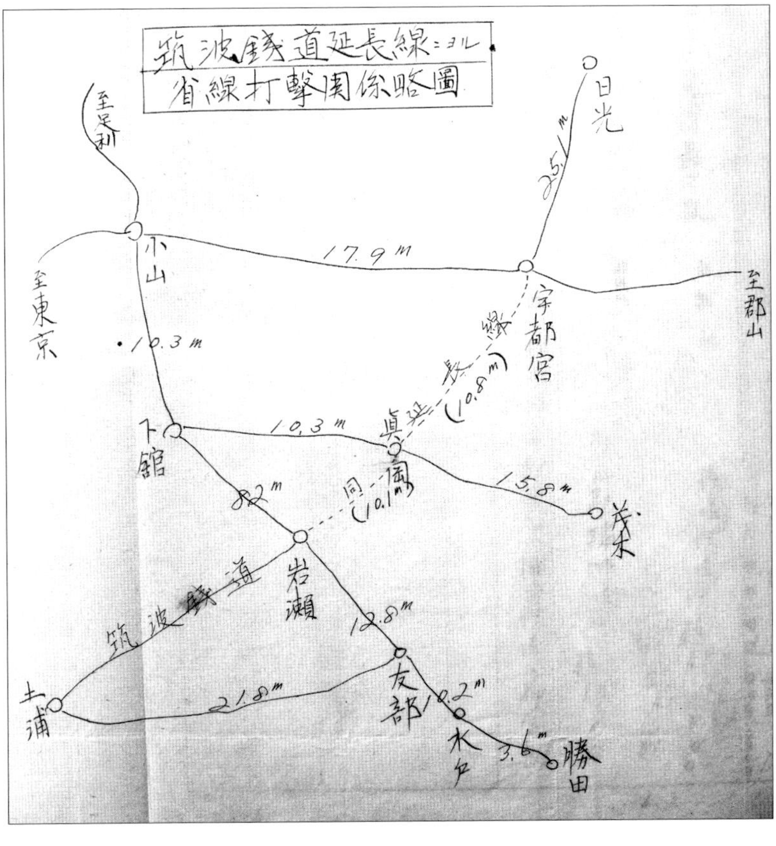

■筑波鉄道延長線ニヨル省線打撃関係略図

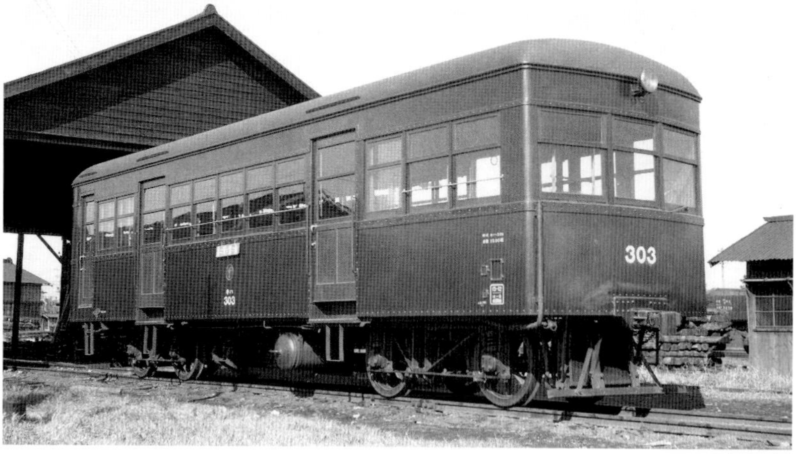

筑波鉄道初のガソリンカーとして1937(昭和12)年に導入されたキハ300形303号。
1939.12.3　真鍋機関区　P：橋本哲次
(所蔵：宮田寛之)

(9) ガソリン動力併用

蒸気動力の鉄道がガソリン動力を併用するのは、運炭鉄道などを別にすると、昭和初期であることが多く、お隣の常総鉄道は1928(昭和３)年からであった。

筑波鉄道の場合は、開業時の鉄道院払い下げの蒸気機関車３両に代わって汽車会社製の新造蒸気機関車５両が揃ったのが1925(大正14)年、同じく鉄道院払い下げの木造２軸単車に変わって鋼製ボギー客車９両が揃ったのが1927(昭和２)年で、この遅れがガソリンカーの導入の遅れにつながったと思われる。ガソリン動力併用願いは1937(昭和12)年２月23日、認可は1937年５月27日、ガソリンカーキハ301～303は1937年５月27日設計認可、６月11日使用開始認可申請、６月11日竣工で、６月15日より運転を開始した。これによって４個列車のうち２個列車がガソリンカーに変わり、1937年11月に開業時からの単車４両と緩急荷物車２両が廃車された。

1928(昭和３)年に入ると蒸気機関車２両が廃車、１両が夕張鉄道に転じ、ボギー車６両が阪和電気鉄道と三河鉄道に転じたほか、２軸客車９両と緩急荷物車１両が廃車となり、開業時に鉄道院から払い下げを受けた客車と緩急荷物車は１両を除いて廃車となった。鋼製ボギー客車を阪和電鉄に譲渡する書類の備考として「現行列車編成数＝混合(蒸汽) １組・ガソリン２組・計３組」とあり、当時の様子がうかがえる。

1934(昭和９)年２月の運転本数は、土浦～岩瀬間９往復・土浦～上大島間１往復・真壁～岩瀬間２往復であった。1937(昭和12)年７月26日停留場新設認可申請でガソリン客車のみが停車する田土部、日立大

■列車運行図表　1936(昭和11)年12月10日現行　筑波鉄道株式会社

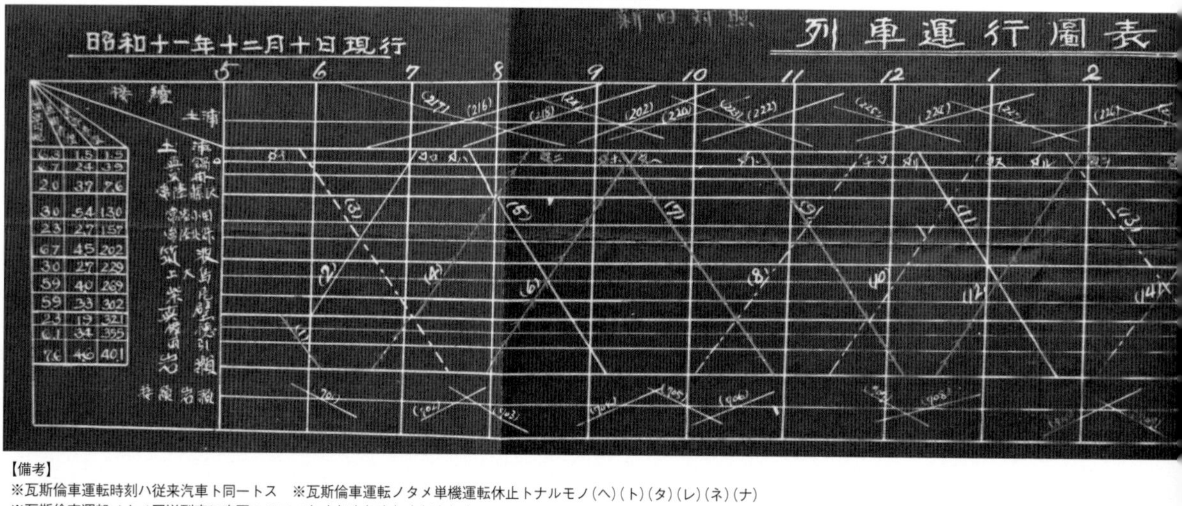

【備考】
※瓦斯倫車運転時刻ハ従来汽車ト同一トス　※瓦斯倫車運転ノタメ単機運転休止トナルモノ(ヘ)(ト)(タ)(レ)(ネ)(ナ)
※瓦斯倫車運転ノタメ回送列車に変更スルモノ(ニ)(ホ)(ヲ)(ワ)(カ)(ヨ)

常総筑波鉄道初のデイーゼルカーは鉄道省キハ41000形を譲り受けたキハ41000形（41001・41003・41004）で、導入当初は軽油の入手が困難であったことから代燃装置が取り付けていた。

出典：『関東鉄道七十年史』
所蔵：関東鉄道株式会社

ガソリンカーとして誕生したキハ300形は1951（昭和26）年にエンジンを換装してディーゼルカーとなり、写真先頭の301号は1970（昭和45）年まで在籍していた。
1962.3.31　真鍋　P：風間克美

貫、伊佐々の３駅が開設された。

キハ301～303は大活躍であったようで、1941（昭和16）年春の修善時には1941年４月19日申請で鉄道省41000号を４月20日から５月４日まで借り入れた記録が残る。戦時中に燃料が欠乏するようになるとガソリン客車は代燃に改造される。

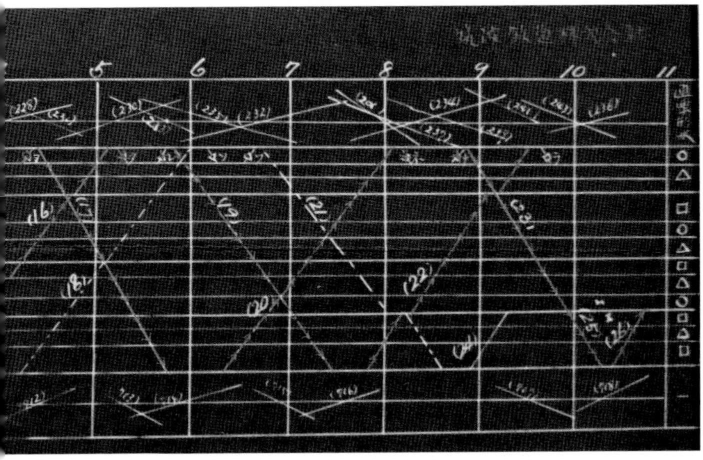

【編注】
※ガソリン車と思われる運用は1・4・6・7・9・12・15・16・17・19・20・22・23・25・26（うち25・26は5月1日～10月31日運転）。

1943（昭和18）年度の旅客は164.7万人、貨物は166,492t、車両数は蒸気機関車３、気動車３、客車６、有蓋貨車６、無蓋貨車39両、列車走行距離は旅客8.6万km、混合5.8万km、全線通しの運転とすると旅客が３往復、混合が２往復程度の運転で、１列車平均乗客数451人程度となり、凄まじい混雑であったと推察できる。

なお、会社は1933（昭和８）年10月14日に笠間自動車商会から岩瀬～筑波間の乗合自動車事業の営業権を譲り受け、12月23日に営業を開始。1934（昭和９）年11月15日に霞自動車から土浦・真鍋～筑波間のバス事業を譲り受け、1936（昭和11）年５月28日に筑波自動車商会を合併した。

ひたちおだ
常陸小田
HITACHIODA
たとべ
ひたちほうじょう

土浦～筑波間開通の1918(大正７）年４月に開設された常陸小田駅に、空気バネ台車を持つデラックス車両、キハ504が停車中。営業最終日までこの日を含めてあと８日で、「さようなら」のヘッドマークを掲げている。
1987.3.24　常陸小田　P：荻原俊夫

土浦方から真鍋構内に入線してくるタンク機９号が牽引の混合列車。ここで機関車は８号に交代する。
1952.8.10　真鍋
P：柴田重利
（所蔵：宮田寛之）

2. 常総筑波鉄道と関東鉄道

(1) 常総筑波鉄道筑波線

戦時中は陸運事業者の統合が政府主導で進められ、茨城県下では当初は３地区、のちに日立製作所の意向を受けて４地区に分かれて統合が進んだ。県北地区は常北電気鉄道（後の日立電鉄）、県央地区は水浜電車を母体とする茨城交通、鹿行は鹿島参宮鉄道、そして県南地区は常総鉄道が筑波鉄道を合併して常総筑波鉄道に社名を変更した。筑波鉄道からすると、以前からのライバルであった常総鉄道に吸収合併される形となった。国主導で命令に近い形での合併であったが、手続きは企業側から申請書を提出し、政府が認可する形であった。

合併ノ理由書

近時沿線産業ノ著シキ発展ニ伴ヒ之ニ即応シテ交通事業ノ整備統合ヲ速ニ実現シ資本ノ強化ヲ圖リ経営ヲ合理化セシメ以テ時局ノ要望ニ應ヘ戦時下輸送ノ完璧ト国防ノ充實ニ資シ度候間別紙契約書ニ基キ合併致度次第ニ御座候

1945（昭和20）年３月20日に常総筑波鉄道となった筑波線の戦時中は、一般乗客のほかに荒川沖の海軍工廠で働く工員や動員学生を輸送する工員列車も運行した。都市部での空襲が激しさを増すと、東京・水戸などから罹災者が沿線各地に流入するようになった。

戦後の混乱は、会社の経営面にも生じていた。戦時統合で合併した私鉄から分離独立の動きは、1947（昭和22）年６月に南海電気鉄道が近畿日本鉄道から、1948（昭和23）年６月に小田急・京浜急行・京王帝都が東京急行電鉄から、1949（昭和24）年12月に京阪電気鉄道が京阪神急行電鉄から分離・独立した。

常総筑波鉄道においても、統合を解いて統合前の原状に復すべきであるとの株主提案が発議され、1947年１月16日の臨時株主総会に提議された。この時の社長は旧常総鉄道の武藤久兵衛、副社長が旧筑波鉄道の宇都宮政市であった。この提議は紛糾し、1951（昭和26）年５月８日の総会では分離派の新経営陣が誕生した。同年６月21日の臨時株主総会では記名投票で分離反対が多数となり、筑波線の分離・復元は事実上ご破算となった。分離派は旧筑波鉄道の株主に多かったが、筑波鉄道の社長であった宇都宮政市が反対の立場を貫いたのは、輸送量に劣る筑波線は常総線の内部補助なくしては経営が厳しくなることを悟っていたものと思われる。この時点で常総筑波鉄道の社長には宇都宮政市が選出された。

1947（昭和22）年９月14日に襲来したキャサリン台風は、16日にかけて関東地方に大水害をもたらせ、その被害から立ち直りに向かっていた19日にも河川の氾濫被害を受けた。これにより筑波線は常陸小田～雨引間の22ヶ所で、道床流失2,322mなどの被害を受けて不通となり、開通は27日であった。

1947（昭和22）年度の旅客は364.9万人、貨物は99,233t、旅客列車84千km、混合列車73千kmであった。旅客列車＝ガソリンカー、混合列車＝蒸気機関車牽引列車とすると、ガソリンカーは筑波鉄道生え抜きのキハ301～303、蒸気機関車は６・７・８、客車はナハフ103～105がフル稼働し、車両不足から転属車両を求めたが、戦後の混乱期に鉄道の旅客が増えて車両が不足していたのは共通の悩みで、望むような車両は回ってこなかった。それでも蒸気機関車3075号（実際は3015号→９号二代）、ホハフ201・202が1950（昭和25）年までに加わり、1954（昭和29）年には北海道鉄道キハ502を出自とする弘南鉄道ホハ２を譲り受けて二代目ホハフ201としている。

ガソリンカーは1950年までキハ301～303の３両の

ままであったようで、常総線のキホハ52転属に関する副申書類に次の記述がみられる。

昭和二十五年十月九日

東京陸運局長

運輸大臣殿

常総筑波鉄道車両転用認可申請書進達について

常総線で使用していたキホハ五十二号を筑波線に転用しようとするもので左記調査の結果支障ないと認められるから正本を添え進達します

記

一、現在筑波線には昭和十七年監六八八号及び昭和十七年八月五日監二三四八号で認可の三〇一一三〇三号三両があるが何れもキホハ五十二号と類似のものである。(略)

このキホハ52は1951(昭和26)年4月に筑波線に転じ、1951年12月にデイーゼルカーに(後にキハ313に改番)。続いて1951年12月に国鉄キハ40355・40356の払い下げを受けキハ401・402に。1952(昭和26)年2月に常総線からキホハ63が転じ(後にキハ312)、1952年11月に国鉄キハ40009の払い下げを受けてキハ311とした。この時点1952年度末には気動車8両在籍(鐵道資料では9両在籍)となった。

1953(昭和28)年に入ると、南武鉄道クハ213・214を譲り受けていたホハフ201・202を気動車化してキハ40084・40085(キハ83・84の期間があった可能性あり)とし、1953年度末には気動車10両在籍。1954(昭和29)年に常総線からキハ64が転じ(後のキハ304)、さらに1955(昭和30)年に常総線からキホハ61(後のキハ305)が転じた。

列車走行距離に目を移すと、1950(昭和25)年度が旅客=59千km・混合65千km、1951(昭和26)年度が旅客=224千km・混合60千km、1952(昭和27)年度が旅客=292千km・混合59千km。気動車数の増加に伴い旅客列車の本数が増え、この段階では混合列車は減っていない。ところが、1953(昭和28)年度が旅客=383千km・貨物=32千km、混合25千km、1954年度が旅客=440千km・貨物=55千km、混合2千km。混合列車は消滅に近い状況になった。混合列車は1958(昭和33)年度に0となり、客貨の分離が完了している。混合列車が事実上廃止になると、1959(昭和34)年に客車7両が常総線に異動または廃車になり、残りは緩急車代用の2両のみとなった。

(2) 新鋭キハ500形登場

1959(昭和34)年に新鋭デラックスカーのキハ500形を一気に5両投入した。キハ500形の最初の任務は1959年9月20日から始まった土浦～筑波間の急行「つくばね」であった。通常2両編成、多客時3両編成で土浦～筑波間をノンストップ、所要30分で、下り2本、上り1本が走破した。

常総筑波鉄道の新鋭キハ500形の水戸線乗入は栃木県内からの旅客の誘致が目的であった。ところが国鉄水戸管理局側からは通勤通学時間帯の岩瀬～小山間の救済列車的な要請であった。当時水鉄局では気動車が不足し、下館以東の区間での列車増発が困難で、ラッシュ時の混雑解消が急務であった。そこで1960(昭和35)年9月20日から500形車両による2往復の水戸線乗入が始まった。当初は全区間を社の運転士が担当し、岩瀬～下館間は2両編成、下館～小山間は真岡線の気動車列車に併結され、協調運転を行った。

1961(昭和36)年12月からは使用車がキハ800形となり、国鉄車と総括制御が可能となったことから、社の運転士の担当区間は岩瀬～下館間に短縮された。この頃のキハ500形は早朝に真鍋出庫。土浦発の下り1番小山行き、小山発土浦行き、土浦発急行「つくばね」、

観光客の増加を見込んで1959(昭和34)年に日本車輌で新造したキハ500形・504形。セミクロスシート車で、常総筑波鉄道初の総括制御車両でもあった。
1959.9　真鍋　P：高井薫平

キハ500形の投入に伴い開始された水戸線小山行直通列車（右）と土浦～筑波間ノンストップの急行「つくばね」。
1960.12　筑波　P：荻原二郎

土浦～小山間１往復で、真鍋入庫、実に働き者であった。キハ500形導入の状況を『関東鉄道70年史』から引用する。

「昭和34年度には、レジャーブームで乗客が出盛る秋を控えた８月18日、筑波線にも総括制御の新鋭デイーゼル客車５両を投入した。うち空気バネ式２両の購入価格は5,374万円、残るコイルバネ式３両分は6,955万円、合わせて１億2,329万円にのぼり、（略）　筑波線に新鋭車両を一気に５両投入したのは観光客輸送のためだけではなく、通勤・通学客の増加に対応する目的もあった。それも、自社線内にとどまらず、国鉄水戸線・岩瀬～小山間への定期乗入を行うという、全国でも稀な方式を採用した。むろん国鉄と協議のうえ実施し、34年12月に認可を得て、まず下館乗入を開始した。朝は土浦発６時10分、岩瀬発は７時30分、下館着が７時45分、夕は下館発８時50分、筑波着９時30分の同駅止まりというダイヤで、新鋭キハ500形を３両編成で運行させた。次いで、翌35年９月には筑波線から国鉄小山までの乗入れを実現した。小山乗入は観光客輸送面にもプラスし、36年４月下旬頃、平日約1,500人、休祭日には約5,000人の筑波登山客を輸送した。

筑波線ではこのほか34年６月25日、新土浦駅を完成・開業させた。同駅は旧国道はずれの立地上不便な真鍋駅にかえて、旧国道と新国道の間に建設、商工業者や住宅が新国道側に拡大し、土浦市北西台地に工業高校が新設されたことに伴い、通勤・通学客や定期外乗客の獲得・利便性向上を図ったものであった。」

1960（昭和35）年前後が当線の最も華やかなりし頃で、土浦～筑波間に急行が走り、社線車両が水戸線経由で小山に乗り入れ、行楽シーズンには上野（土浦経由）や日立（岩瀬経由）から国鉄客車が筑波に乗り入れてきた。また、水戸線笠間が最寄りの笠間観音では10～11月の菊まつりが有名で、期間中の日曜祝日には真鍋（新土浦）～岩瀬～笠間間に臨時「しらぎく」がキハ500形で運転された。

ただ、岩瀬から小山への乗り入れは1965（昭和40）年３月19日限りで廃止された。キハ500形は住友銀行信託車両、つまり借金までして新造したデラックスカーで、筑波山観光客を狙いとしていたのに、国鉄側の車両不足から通勤通学輸送に充当され、しかも車両使用料に関東鉄道側は不満を持ち、関東鉄道側から乗入中止を申し入れたという。

1961（昭和36）年に５両（うち筑波線には２両）が導入された20m級のキハ800形（804号）。直通先の水戸線内での国鉄車両との総括制御が可能となった。後に全５両が常総線に集結。
1963.10.26　土浦　P：荻原二郎

(3) 京成電鉄系となる

戦後の筑波鉄道分離問題解消後に社長に就任した宇都宮政市前社長は1958(昭和33)年8月5日に死去し、1959(昭和34)年5月20日の定時株主総会で、畑中四郎東武鉄道副社長と福田郁次郎京成電鉄専務が取締役に就任した。京成系として知られる関東鉄道の前身企業に東武鉄道が出資をしていたのは意外で、1958年頃から1961年にかけて発行株数の5.5%を出資した。

京成電鉄は1959年11月28日に鹿島参宮鉄道を傘下とし、1958年頃開始した千葉・茨木県下進出計画の一環として常総筑波鉄道株を取得し、1961(昭和36)年11月には筆頭株主となり、川崎千春京成電鉄社長が常総筑波鉄道会長に、森本健京成電鉄総務部長が常総筑波鉄道常務取締役に就任した。

常総筑波鉄道東郷勘治社長は1962(昭和37)年10月1日に死去し、同月9日に福田郁次郎取締役が社長に就任して京成電鉄出身者が社長の会社となった。当時は労働組合との対立で悩まされる会社も多く、大手電鉄資本が地方の交通事業者を系列化していく動きは各地で見られた。

『関東鉄道70年史』からこの頃の記述を抜粋する。

「鹿島参宮鉄道と合併へ

高度経済成長政策をバックボーンとする地域開発の波は、昭和30年代後半茨木県下に波及し、35年3月末に県工場誘致条例が交付されるとともに、4月にはまず、鹿島灘沿岸地域総合開発構想が試案としてまとめられた。これが翌36年9月には、鹿島臨海工業地帯造成のマスタープランとなり、40年代に国鉄鹿島線が開通したのに伴い鹿島参宮鉄道に影響をもたらすことになる。その後、38年には首都圏整備法に基づき筑波地区に研究学園都市を造成する計画が具体化し、9月10日閣議決定をみて当社筑波線がかかわりを持つこととなった。また、首都圏整備事業としては鹿島参宮鉄道も、自動車部門のエリアである土浦・阿見が開発区域に指定され、その進展に無関心ではいられない状況となった。さらに研究学園都市構想が固まった時期には、県立自然公園の筑波山を中心とした観光開発計画が具体化し、鹿島参宮鉄道・常総筑波鉄道両社の筆頭株主である京成電鉄は、茨城県・筑波町と共同で有料道路建設に乗り出した。

筑波山西山～つつじケ丘間4.4kmの筑波スカイラインは、こうして40年4月開通するが、京成電鉄はこれより先38年10月11日、県下唯一の本格的ホテル・土浦京成ホテルを完成・オープンしている。京成電鉄は39年9月21日、スカイラインつつじヶ丘側でロープウエイ建設に着工、同所にホテルも建設しており、37年に既設の筑波山鋼索鉄道に出資経営参加して以来、筑波山総合開発計画を推進していたのであった。常総筑波鉄道では、京成電鉄系列下に属した当時から筑波山観光事業網を整備してきたが、京成電鉄自体の積極展開に伴い当社の事業展望も開けるところとなった。しかし、半面ではスカイラインをめぐるバス運行体制の整備をはじめとして、研究学園都市への対応など、官・公・民を通じて進む開発に関連した新たな課題もあった。乗用車の普及速度もまた、地方鉄道にとって軽視できない流れであった。

これらの課題や展望は、同じ京成電鉄系列にある鹿島参宮鉄道にも共通した事柄であり、とくに従来当社との間で、繰り返し生じていたバス路線の競願は、地域開発の進展に伴い以前にも増して募るものとみられた。また、両社の現路線網にも競合コースが少なからず存在し、運行効率を妨げ合う形となっていた。鹿島参宮鉄道・常総筑波鉄道両社の合併は、地域開発企画が進むなかで、バス部門の合理化と資本力の強化を主な目的として決断された。」

空気バネ台車を装備したキハ505による急行「つくばね」と交換する、元播丹鉄道のキハ402。

1962.8頃　真鍋
P：高井薫平

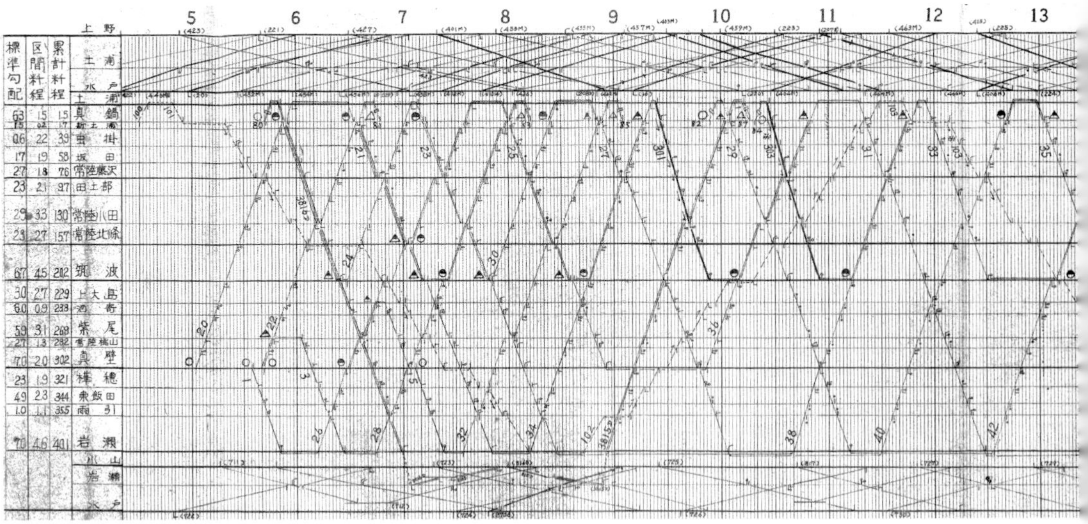

■列車運行図表　1963(昭和38)年10月1日改正

・筑波鉄道・筑波線の旅客輸送人員のピークは1964年度の419万人で、その当時のダイヤ。その年度は貨物も84,349tを運んだ。
・雨引～岩瀬間のみが票券式で、その他はタブレット閉塞式であった。
・朝ラッシュ時は３両編成もあり、旅客数に応じて常陸北条・筑波・真壁で分割・併合が見られる。
・朝は気動車12両出動であったことが見て取れる。
・貨物列車は２往復。

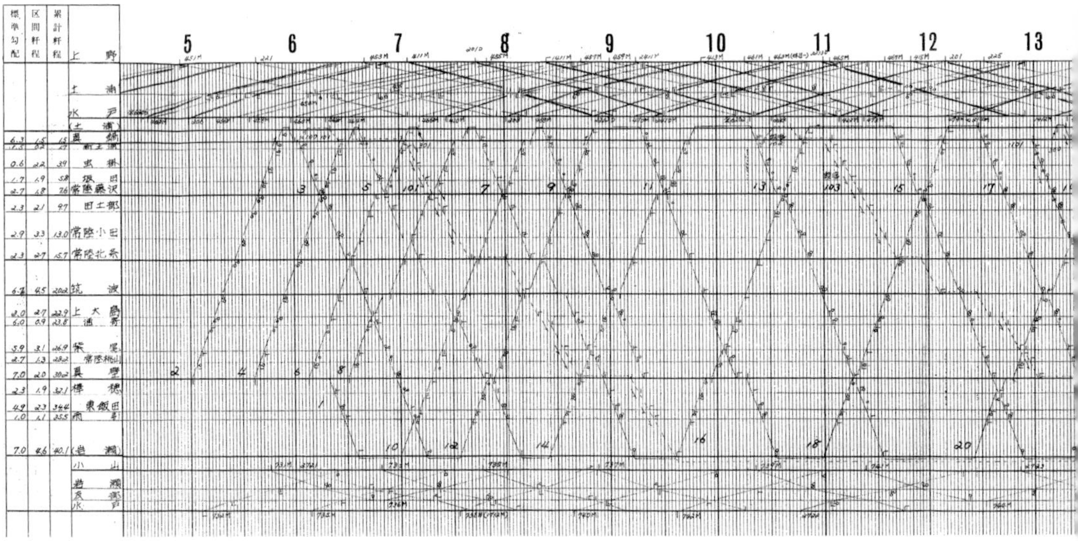

■列車運行図表　1970(昭和45)年４月16日改正

・1970年度の旅客は354万人、貨物は53,856tで、ピーク時から減少している。
・保安方式は土浦～筑波間がタブレット閉塞式、筑波～岩瀬間が自動閉塞式。
・水戸線乗り入れはなくなり、全列車が線内運行。
・旅客列車はすべて真壁停泊となり、朝ラッシュ時は５個列車。
・貨物列車は１往復。

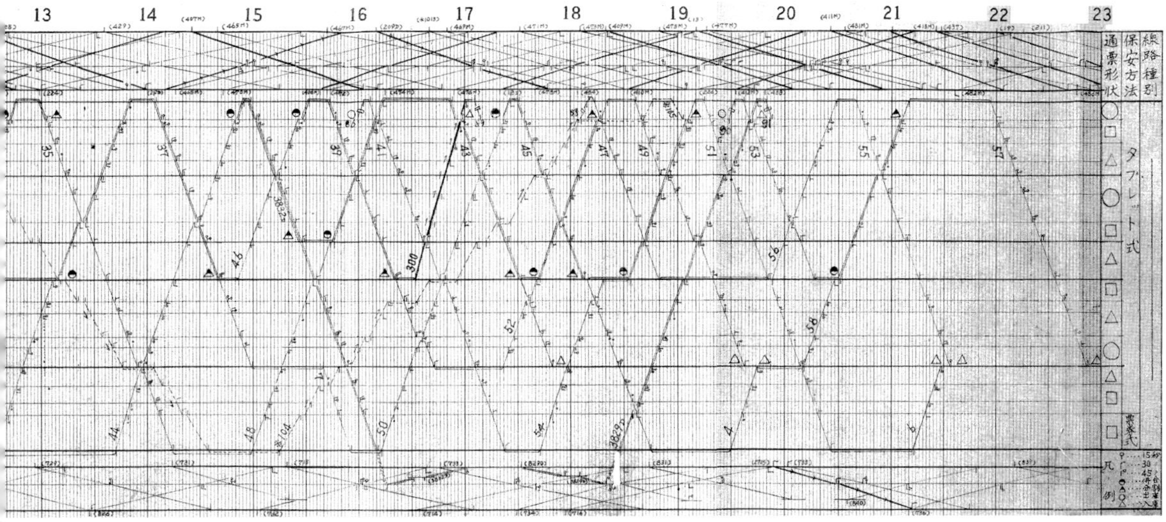

【水戸線乗り入れのキハ500形運用】

○真鍋5：42出庫（回送・２両編成）→土浦へ
○土浦5：50発（3816D列車小山行・２両編成）→真鍋で１両増結→筑波で１両解放→２両編成で小山へ
○小山7：59発→岩瀬8：56発（3815D列車・２両編成）→土浦へ
○土浦10：11発（回送・２両編成）→真鍋へ
○午後～夜間にも真鍋（回送）→土浦→小山→土浦（回送）→真鍋の順で運行

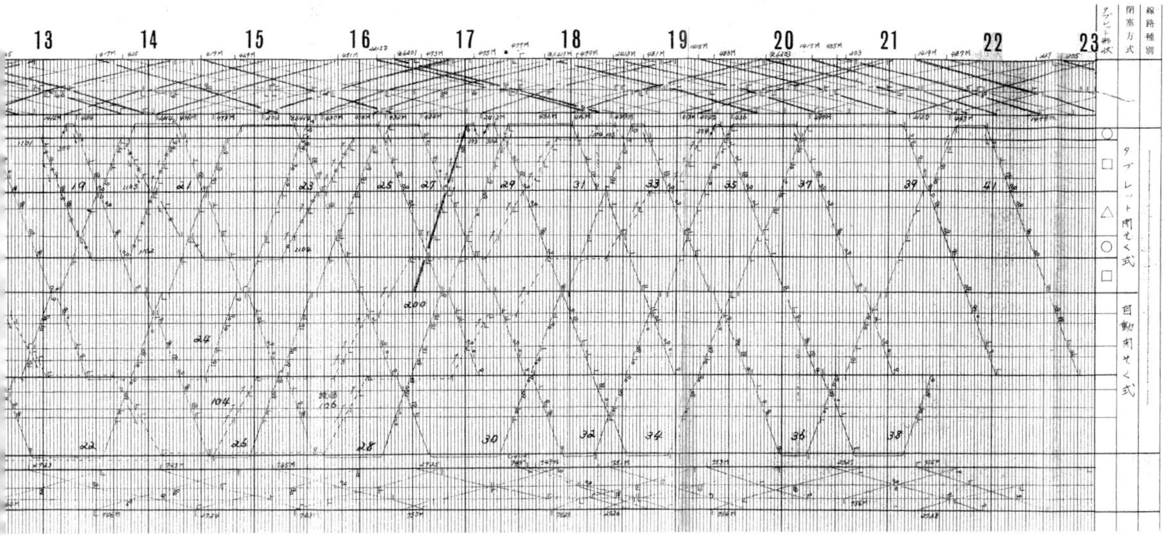

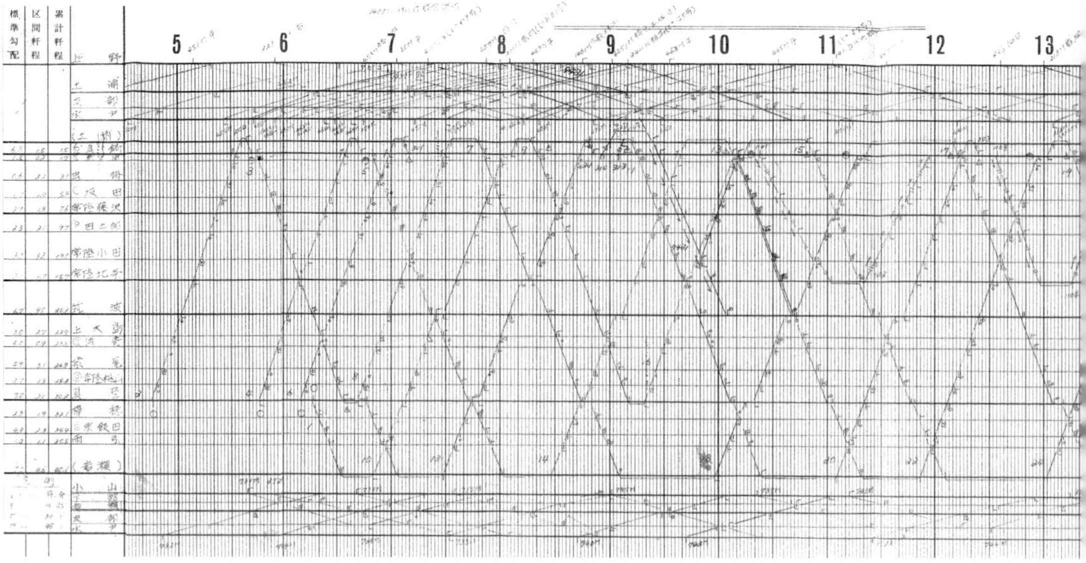

■列車運行図表　1979(昭和54)年５月1日改正　昭和54年秋臨 ４月21・28・５月３・４日

・1979年度の旅客は205万人、貨物は14,616t。
・保安方式は全線単線自動式。
・朝ラッシュ時は５個列車。
・貨物列車は真鍋～土浦間のみ。
・国鉄上野からの「つくば」運転日は定期列車の時刻変更がなされていたことがわかる。

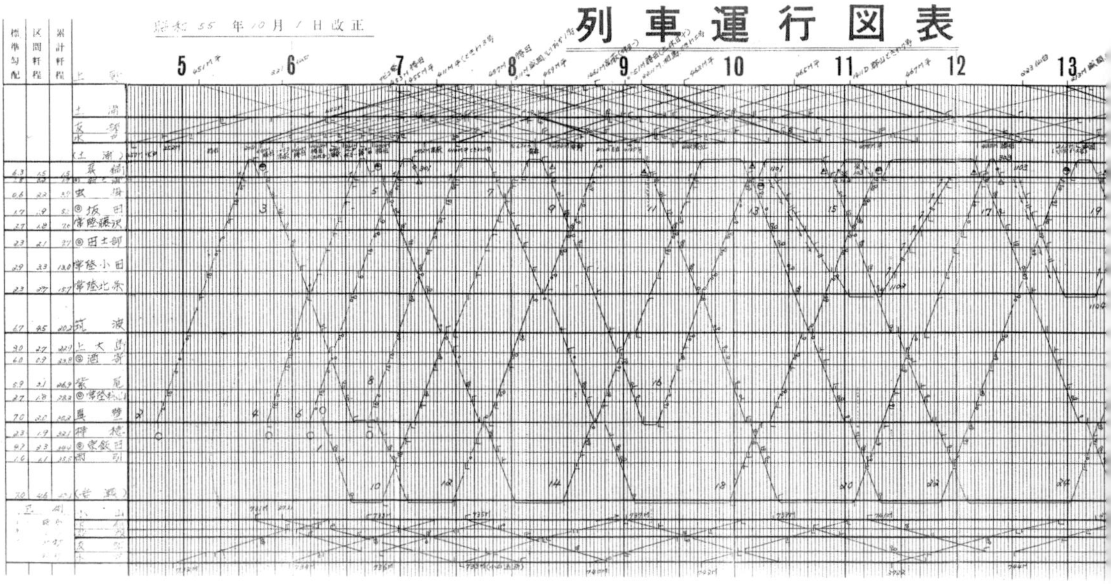

■列車運行図表　1980(昭和55)年10月1日改正

・1980年度の旅客は201万人、貨物は12,296t。
・1979(昭和54)年５月１日改正から大きな変化はない。
・貨物列車は1981(昭和56)年８月12日に廃止された。

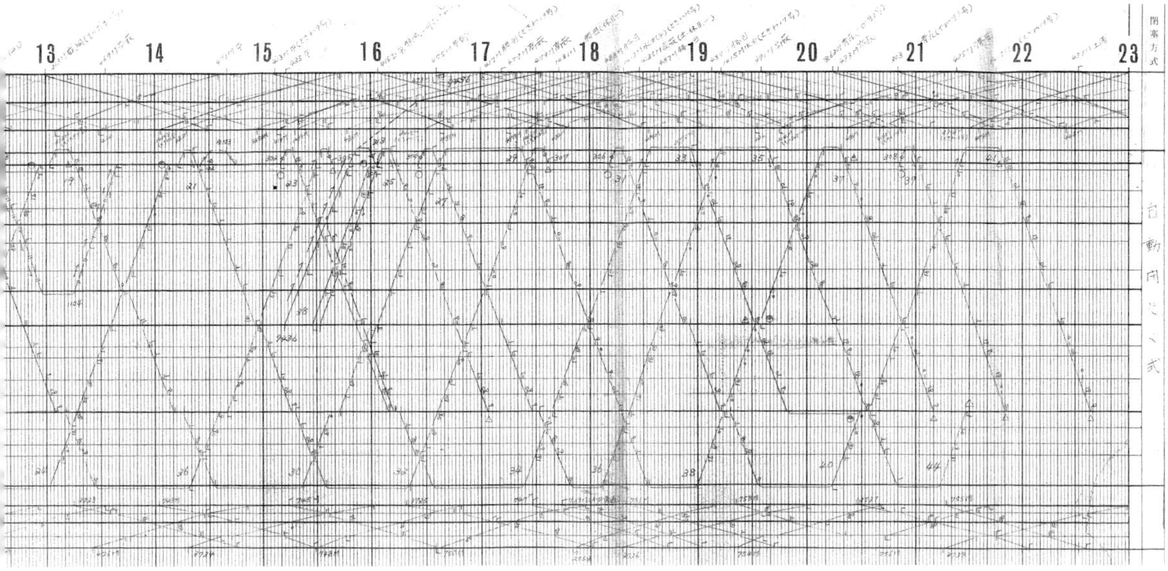
13
14
15
16
17
18
19
20
21
22
23
閉塞方式
自動閉そく式

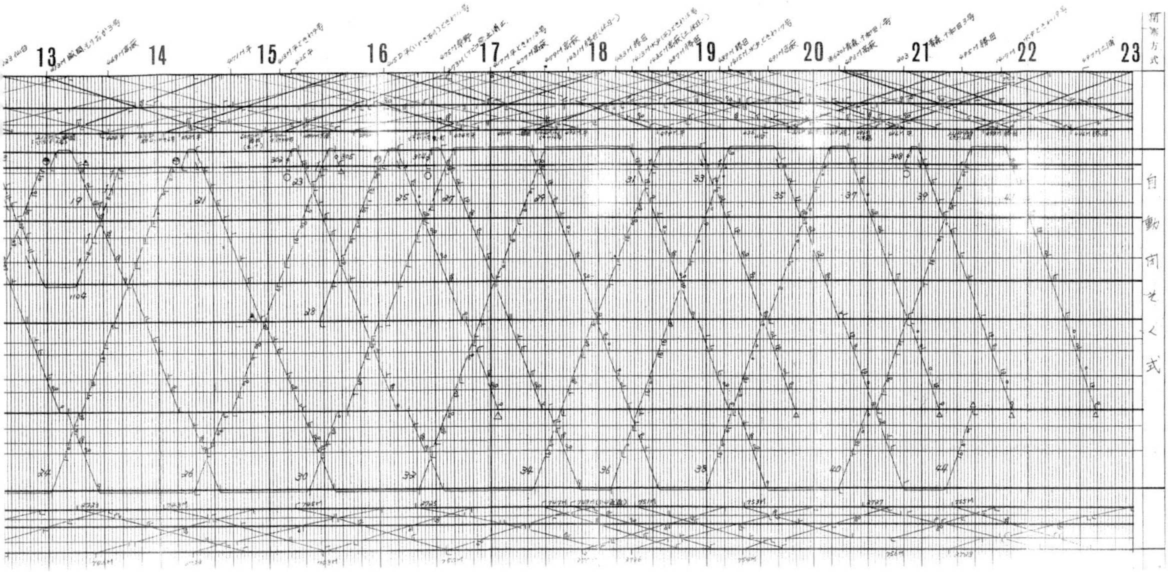
13
14
15
16
17
18
19
20
21
22
23
閉塞方式
自動閉そく式

1953年製の内燃機関車DC201号が牽引する、国鉄からの直通客車列車。　1967.5　筑波付近　P：高井薫平

(4) 関東鉄道筑波線

1965(昭和40)年6月1日に同じ京成系の鹿島参宮鉄道と常総筑波鉄道が合併して関東鉄道が誕生した。対等合併ではあったが、手続上から鹿島参宮鉄道が常総筑波鉄道を吸収して存続し、常総筑波鉄道は解散、鹿島参宮鉄道は同日に商号を関東鉄道株式会社に変更し、本社も従来とは別に土浦市に移設された。鉄道監督局民営鉄道部に提出された書類の「合併を必用とする理由」は次の通り。

「鹿島参宮鉄道株式会社と常総筑波鉄道株式会社とは茨城県南地域一帯に隣接して夫々運輸交通事業の営業区域をもち、ほぼ同時期に創業された全く同種の企業であります。その資本力、経営規模、労働環境も相似して居り営業路線も各所において接続、重複し、その他色々の点において非常に密接な関係をもって居ります。更に最近の飛躍的な経済成長に伴い、県南地域へ各種産業の進出は目覚ましいものがあり、特に首都圏整備計画の一環である茨城県総合振興計画が着々推進されつつあります。
北に筑波山麓の研究学園都市の建設構想あり、南に鹿島港の築港並びに鹿島臨海工業地帯の造成等、正に国家的大事業が陸続として企画、着工されつつあり、一方に於て筑波山、霞ケ浦の観光開発は一段と急ピッチに進められ今や霞ケ浦は新国際空港建設の有力候補地としても脚光を浴びているのでありまして、これら地域の交通網の整備充実が急速に要請される次第であります。ここに於て両社の力を一つに結集して統合統一し、もって経営規模の拡大による輸送力の増強、信用力の増大、資本力の強化をはかり、新しい経済情勢に対応し事業の発展を期すると共に沿線の振興開発に寄与し、利用者の利便をいよいよ増進するため、当社と常総筑波鉄道株式会社の両社が大局的見地に立って対等の条件により合併を行うことは、今日の時点に於て最もふさわしく亦時宜を得た措置であると確信いたし、取締役会に於て両社の対等合併を決議し、合併契約を締結した次第であります。」

国立公文書館が所蔵する鹿島参宮鉄道と常総筑波鉄道が合併して関東鉄道が発足する書類の中に、手書きのメモ書きが残る。原文の記載は躊躇されるので、要約を記すと、次の通りとなる。

労組の同意書添付なし。このことについて京成電鉄から運輸省担当課長へ、合併記念品として金額支給で妥結していて、労働組合は合併に同意しているものの、書面の提出は悪影響が出る恐れがあり、同意書は法的には不必要であり、添付無しとすることを局長も了とした、とある。

組合問題が企業経営上の重要事項であったことが見て取れる。

旅客輸送のピークは常総筑波鉄道筑波線時代の1964(昭和39)年度の419.5万人で、当時は貨物も8.4万tを輸送していた。旅客輸送人員は1967(昭和42)年度

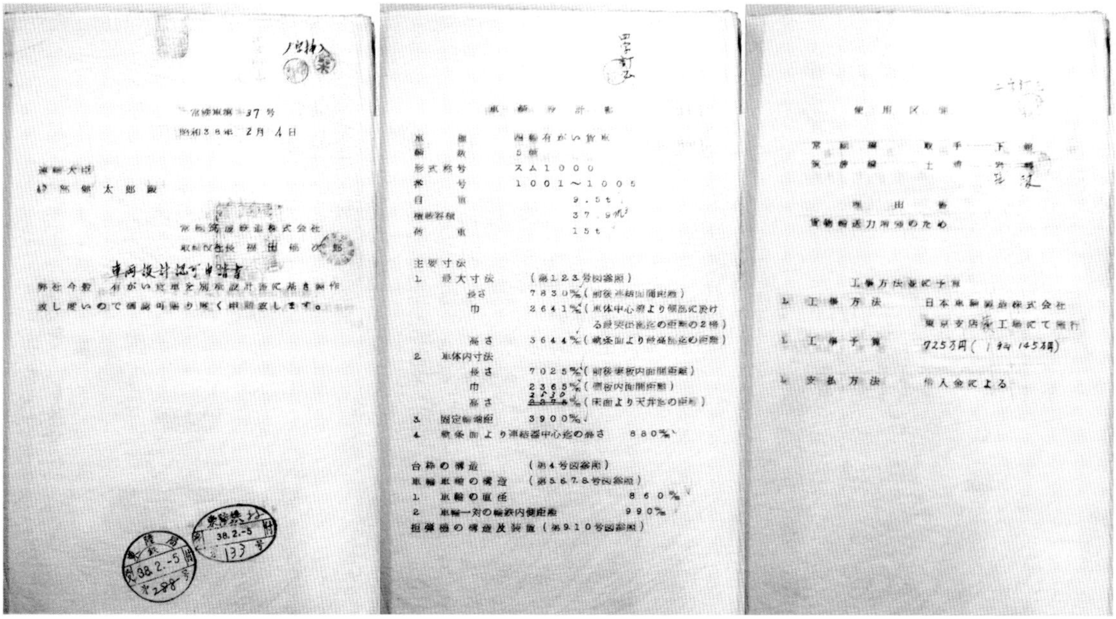
常総東第37号
昭和38年2月4日

運輸大臣
綾部健太郎殿

常総筑波鉄道株式会社
取締役社長

車両設計認可申請書
弊社今般 有がい貨車を別紙設計書に基き製作致し度いので御認可賜り度く申請致します。

車両設計書

車種	四輪有がい貨車
両数	5両
形式称号	スム1000
番号	1001〜1005
自重	9.5t
積載容積	37.9m³
荷重	15t

主要寸法
1 最大寸法 (第1.2.3号図参照)
長さ 7830㎜(前後連結面間距離)
巾 2641㎜(車体中心線より側部に於ける最突出部迄の距離の2倍)
高さ 3644㎜(軌条面より最高部迄の距離)
2 車体内寸法
長さ 7025㎜(前後妻板内面間距離)
巾 2365㎜(側板内面間距離)
高さ 2530㎜(床面より天井迄の距離)
3 固定軸距 3900㎜
4 軌条面より連結器中心迄の高さ 880㎜

台枠の構造 (第4号図参照)
車輪車軸の構造 (第5.6.7.8号図参照)
1 車輪の直径 860㎜
2 車輪一対の輪鉄内側距離 990㎜
担ばね装置の構造及装置 (第9.10号図参照)

使用区間
常総線 取手〜下館
筑波線 土浦〜筑波

理由書
貨物輸送力増強のため

工事方法並に予算
1 工事方法 日本車輌製造株式会社東京支店蕨工場にて施行
2 工事予算 725万円(1両145万円)
3 支払方法 借入金による

■4輪有蓋車スム1000形車両設計認可申請書　1963(昭和38)年2月4日

までは400万人台、1974(昭和49)年度までは300万人台を維持したが、昭和50年代に入り、自家用車が普及すると輸送人員が急速に減少。貨物の鉄道離れは旅客よりも早く、1971(昭和46)年度以降は1万t前後となった。

貨車スム1000形1001〜1005の5両は1963(昭和38)年2月4日車両設計認可申請で日本車輛東京支店にて新造され、常総線で使用を開始した。この申請書類の使用区間は、取手〜下館間及び土浦〜岩瀬間とあり、手書きで岩瀬が筑波に修正されている。『関東鉄道70年史』では、

「関東鉄道新発足後の1966(昭和41)年4月1日に筑波線7駅において発送貨物の取り扱いを廃止、同時に土浦経由となる中川ヒューム管と宇田川石油の両社専用線発着分を除き、貨物営業を廃止した。」とある。いずれにしてもこの頃になると筑波〜岩瀬間に貨物列車は走らなくなっていたと思われる。

旅客輸送に関しては、東京都心に近く、次第に通勤路線化していく常総線とは対照的であった。筑波線と同じ状況にあったのが鉾田線で、両線の赤字を会社全体でカバーできなくなった。1979(昭和54)年4月1日、鉾田・筑波の両線は鹿島鉄道、筑波鉄道として切り離された。この方式は、経営実態に合わせた給与水準設定や、路線の実情に即した運賃設定を狙いとしており、平成時代に相次いだバス会社の地域分社の先鞭であった。

紫尾駅を発車する元雄別鉄道のキハ761号ほか2両編成。
1987.3.1　紫尾　P：元木史昭

センターキャブの内燃気動車DD50形501号の牽引する国鉄直通12系客車「筑波」号。　1984.4.30　常陸北条—筑波　P：元木史昭

3. 筑波鉄道（二代目）

筑波鉄道（二代目）分離開業時の従業員は129名で、駅の無人化、業務委託化、組織の統合、保線業務の外注化等を実施して従業員を半減させて62名としたが、赤字体質から脱却できなかった。1979～1986（昭和54～61）年度間に２度の運賃値上げを実施した営業収入は1981（昭和56）年度の５億1153万円を分離後のピークとして1986（昭和61）年度は４億2709万円にまで落ち込んだ。付帯事業として駅構内未利用地の活用、土地付き分譲住宅の販売を実施して鉄道事業の維持継続に努めた。しかし、輸送量の減少は留まるところを知らなかった。

土浦・新治・筑波・真壁・大和・岩瀬の沿線６市町村を合わせた自家用車保有台数は、1979（昭和54）年に３万7,854台であったのが1986（昭和61）年に５万7,560台で52％の増加、沿線６市町村の人口は1979（昭和54）年19万1,633人が1987（昭和62）年20万5,789人で、人口増加率が低い中でモータリゼーションが急速に拡大したことが旅客減の要因であり、貨物は1981（昭和56）年８月12日廃止に至った。

なお、上野からの季節臨「つくば」の乗り入れは晩年まで続いた。

常陸小田駅に入線する元国鉄キハ10形のキハ821号。
1982.5　常陸小田
P：寺下雅一

常磐線下りの401・403系電車と顔を並べる筑波線鉄道キハ503＋キハ762の2両編成。
1981.12.5　土浦
P：寺田裕一

第2章 私が出会った後の筑波鉄道

(1) 1981（昭和56）年12月の訪問

1960(昭和35) 年生まれで、高校卒業までを姫路で過ごした筆者にとって、関東地方のローカル私鉄は大学入学前に茨城交通湊鉄道(現在のひたちなか海浜鉄道) を訪ねたのが最初で、より遠方のローカル私鉄の訪問の方が早かった。大学生であった４年間は横浜市港北区在住であったが、ローカル私鉄訪問は東北や上信越、北陸に向きがちで、筑波鉄道を最初に見たのは1979(昭和54) 年11月３日、本格的な初訪問は大学３回生の冬、1981(昭和56)年12月５日であった。

上野７時03分発の常磐線列車で取手へ。複線となっていた西取手付近で関東鉄道常総線を撮影した後、取手９時26分発で土浦９時51分着。土浦の筑波鉄道発着線は、土浦駅舎から続く、常磐線下りホーム水戸方の反対面である１番線で、線路は行き止まり式で機回し線のような側線を有した。その１番線には10時05分発岩瀬行13列車キハ503＋キハ762が停車中で、２両目のキハ762はラッシュ時に増結された車両と思われ回送扱いで扉は閉じていた。

定刻に発車するとしばらく常磐線と並んだ後、左にカーブして進路を西に変え、市街地を進んだ。機関区のある真鍋信号場で真壁発土浦行16列車と行き違い、この13列車は後部のキハ762を切り離してキハ503の単行となる。真鍋はかつて一般駅であった名残で木造駅舎が残り、真鍋から0.2km先で関東鉄道本社前の新土浦は、旧国道６号を挟んで位置していた。1959(昭和34) 年７月に新土浦停留場を新設した当時は、ビルを建設して駅施設とデパートを造る構想があったという。

国道６号の踏切を過ぎ、しばらく走ると田園地帯となり、虫掛の先で常磐自動車道の下をくぐった。常陸藤沢を発車すると右手車窓に、男峰山と女峰山の２峰

1959(昭和34) 年に新設された単式ホームの新土浦駅。
1981.12.5　新土浦
P：寺田裕一

貨物駅を経て信号場になってからも木造駅舎が残されていた真鍋駅跡。
1981.12.5　真鍋　P：寺田裕一

真鍋駅として開業された時から構内に併設されていた機関区。
1981.12.5　真鍋　P：寺田裕一

からなる筑波山が浮かんだ。小田城址の脇をかすめ、寿司米として知られる北条米を産する水田地帯を進み、旧筑波町の中心に近い常陸北条は高校生の乗降が多かった。常陸北条から筑波山麓を回り込むと筑波に至った。筑波山への登山口で、ここで岩瀬発土浦行18列車と行き違う。

筑波を発車すると、車窓の風景は筑波山の裏側に変わった。真壁は筑波山麓で採れる御影石を利用して造る雪見灯籠で有名な町で、石灯籠が線路の脇に並んでいた。上下本線の他に何本かの側線を有し、後にダイヤを確かめると、すべての列車の車両がこの駅で夜間停泊することがわかった。安産と子育ての観音に近い雨引で20列車と行き違い、山麓を進んだのち右に回り込んで岩瀬に至った。国鉄水戸線とは跨線橋で結ばれ、駅業務は国鉄に委託していた。

岩瀬折り返し11時52分発の土浦行22列車で筑波に戻り、確か、筑波では部品即売会のようなイベントを行っていて、列車運行図表(ダイヤ)や車両竣工図表はこの時に購入した記憶がある。その後、筑波～常陸北条間で走行写真を撮影し、新土浦で下車して真鍋機関区で車両写真を撮影して、宿泊地の水海道に向かった。

■

本格的な初訪問となった1981(昭和56)年12月５日は、1980(昭和55)年10月１日改正のダイヤで、土浦～筑波間20往復、筑波～真壁間19往復、真壁～岩瀬間14往復で、全列車が気動車単行または２両編成で、閑散線区でワンマン運転が一般化する前に廃止に至ったことから、全ての列車に車掌が乗務した。夜間の車両停泊場所は真壁で、車両交換を行う場合には、真鍋信号場で列車の後方に増結を行って土浦に向かい、土浦で折り返した際の後方車両は扉を締め切って回送とし、真鍋信号場で後方車両を解放した。朝ラッシュ時は５個列車で、通常は８両使用であった。在籍気動車は1981(昭和56)年10月１日時点で13両、他にキクハなる車両もあった。

13両のうち３両が常総筑波鉄道時代の新造車で、

筑波観光の要、筑波山の麓を走るキハ500形単行列車。
1981.12.5　筑波―常陸北条
P：寺田裕一

3両とはキハ500形503とキハ504形504・505。1959(昭和34)年に日本車輛で新造した。当時の気動車はステップ付が一般的で、ステップのない電車スタイルはインパクトがあった。500形は503～505の3両が登場し、504・505(後の501・502)は後に常総線配属となった。キハ504形504・505は、キハ500形と同スタイルだが、空気バネ台車装備。当初は501・502であったが、最新設備車両＝最大番号との考えから改番された。

残りの10両は他社からの譲受車で、うち5両が北海道の雄別鉄道(最晩年は雄別炭鉱)からの譲受であった。この頃、関東地方のローカル私鉄では、北海道の廃線ローカル私鉄からの譲受車が幅を効かせていた。その多くは運炭鉄道で、古くは蒸気機関車が客車と貨車を牽引していたのが、石炭産業華やかなりし頃に多くの会社で気動車を新造して客貨分離を行った。その気動車は国鉄気動車と同等か、それを上回るグレードのものも少なくなく、成金趣味的な感もあった。それが夕張鉄道であり、雄別鉄道であり、羽幌炭鉱鉄道であり、留萠鉄道であり、三井芦別鉄道であった。

ところが、燃料の主体が石炭から石油に変わると、石炭産業は坂を転げ落ちるように衰退した。国の政策の後押しもあって、昭和40年代は閉山が相次ぐようになり、運炭鉄道も廃止に追いやられた。そして新鋭の気動車は本土のローカル私鉄が新しい職場となって

1959年製に新製投入された、空気バネ台車装備のキハ504。
1981.12.5　真鍋　P：寺田裕一

いく。

雄別鉄道譲受車はキハ760形761～763とキハ810形811・812。キハ760形761～763は雄別キハ49200Y1～3として1957(昭和32)年7月に新潟鐵工所で新造され、雄別鉄道が最初に導入した気動車であった。キハ810形811・812は1962(昭和37)年新潟鐵工所製の雄別鉄道キハ104と105。国鉄キハ22形と同系で小さな一段窓が並ぶ。

譲受車のうち残りの5両は、キハ460形2両、キハ511、キハ541、キハ821。キハ460形461・462は国鉄キハ41000形41056(1934年1月川崎車輛製)と41034(1933年3月新潟鉄工所製)が前身。41207→41307と41205→41305を経て1957(昭和32)年4月の称号変更

北海道の雄別鉄道より1970年に3両が譲渡されたキハ760形(763号)。
1981.12.5　真鍋　P：寺田裕一

国鉄から北陸鉄道、遠州鉄道を経て1972年に入線したキハ462。国鉄キハ04形の面影をよく残していた。
1980.5.25　真鍋　P：元木史昭

キハ760形と同様、雄別鉄道より1970年に2両が譲渡されたキハ810形(812号)。
1981.12.5　真鍋　P：寺田裕一

江若鉄道唯一の戦後製新造気動車を、同線廃止後の1970年に譲り受けたキハ511。
1979.9.15　真鍋　P：元木史昭

でキハ048・046に。1958（昭和33）年８月14日に遠州鉄道キハ802・801となった。電化路線の遠州鉄道に気動車というのは奇異に感じるが、非電化の国鉄二俣線遠江二俣（現在の遠州二俣）乗入用であった。その後1967（昭和42）年に北陸鉄道能登線に転じてキハ5211・5212に。北陸鉄道能登線廃止後は気動車４両が関東鉄道に転じ、３両が筑波線に入った。キハ5211・5212はキハ461・462となり、ほとんど手を加えることなく使用を開始した。

キハ511は、江若鉄道戦後唯一の新造気動車キハ30として誕生。1965（昭和40）年にキハ5120と改番され、気動車３両編成の中間車となった。江若廃止後は関東鉄道常総線に入線したのち筑波線に転じキハ511となった。1981（昭和56）年８月に日本電装の出張工作により正面方向幕撤去とHゴム化がなされたが、最後まで江若時代の面影をよく留めていた。

キハ541は、北陸鉄道が1957（昭和32）年８月に日本車輌で新造したコハフ531が前身で、1963（昭和38）年10月にDMH17C機関を搭載しキハ5301となった。能登線廃止後にキハ460形とともに入線し、ほとんど改造はなく使用を開始した。張り上げ屋根に両端荷台付で、なんとも奇妙なスタイルであった。

キハ820形821は、1979（昭和54）年１月31日付けで廃車となった国鉄八王子機関区キハ10 47を1979年６月14日付けで譲り受けた。貫通幌を取り外し、尾灯の円板取り付け等の手直しで使用を開始した。

キクハなるキクハ11は、1957（昭和32）年11月に常総線ホハ1001として誕生。1958（昭和33）年４月にキサハ53と改番され、1960（昭和35）年11月に機関を搭載して筑波線キハ511（初代）となった。1970（昭和45）年12月に水海道工場で機関を外されてキクハ11となったが、運転台は両側とも残された。

以上の気動車たちのうちキハ541とキクハ11以外はクロスシート装備であった。これは、筑波山という観光資源を擁していたことと、ラッシュ時の混雑がさほどでなかったことが起因していた。

訪問直前の1981（昭和56）年11月にキハ462が廃車。気動車はキサハを加えて13輌在籍がしばらく続く。その後、乗客減からキハ461・541・812、キクハ11が廃車となった一方で、キハ301が入籍した。

キハ30形301は、廃止半年前の1986（昭和61）年７月30日に国鉄キハ30 16を譲り受けたもので、これは関東鉄道常総線で大量に導入にした旧国鉄キハ30・35・36形の尖兵的役割を担っていた。正面行先表示窓をつぶして前面イメージは変わったが、側面スタイルは国鉄時代のままで使用を開始した。筑波鉄道廃止後、当車のみが関東鉄道常総線に転じて2005（平成17）年11月30日廃車まで活躍した。

北陸鉄道能登線の荷台付気動車を譲り受け、1972年に使用を開始したキハ541。　1981.12.5　真鍋　P：寺田裕一

国鉄キハ10形を1979年に譲り受けたキハ821。
1981.12.5　真鍋　P：寺田裕一

1957年に常総線ホハ1001として製造され、後に機関搭載後再び機関を外されたキクハ11。　1981.12.5　真鍋　P：寺田裕一

筑波鉄道廃止前年の1986年に国鉄キハ30形を譲り受けたキハ301。廃止後は関東鉄道常総線に譲渡され、後に同線に大量入線した国鉄キハ30系の嚆矢となった。
1986.10.28　土浦　P：寺田裕一

廃止を目前に控え、キハ503の車体には「70年の長い間　ありがとうございました」の文字が描かれていた。
1987.3.30　真壁　P：元木史昭

(2) 全線廃止

筑波鉄道は1984(昭和59)年11月2日に事業廃止を沿線市町村に申し入れ、沿線6市町村は筑波鉄道存続対策協議会を発足させ、1985年から1年間、回数券3割補助などの助成を行ったが、輸送人員はさらに減少した。

6市町村の協議会は、民間コンサルタント会社に鉄道存続に関する調査を依頼し、(1)現在の形態で存続、(2)全線の南北分割、(3)第三セクター化、(4)人員縮小、(5)運賃値上げ、の5案について協議した。しかし、いずれも現実性がないとの結論に達し、対策協議会も最終的に鉄道廃止に同意した。

最後の訪問は廃止5か月前の1986(昭和61)年10月28日であった。土浦から乗車して岩瀬に抜けた。土浦では、入線したばかりのキハ301を目にすることができた。国鉄末期の国鉄赤字ローカル線では「乗って残そう運動」が盛んであったが、車窓から見た限り、廃止反対の大きな声は上がっていないように見て取れた。

結局、1987(昭和62)年3月末日限りで全廃となった。1987年3月31日土浦22時26分発真壁行最終列車は、「さようなら筑波鉄道線」のヘッドマークを付け、車体に「70年間ありがとうございました」の文字を掲げ、「蛍の光」のメロデイーとともに2度と来ぬ地を後にしたという。

筑波周辺の筑波郡谷田部町御幸が丘(現つくば市)の地では1985(昭和60)年3月17日から9月16日までの184日間、国際科学技術博覧会(通称つくば万博)が開催されて2,033万人を集客したが、筑波鉄道は岩瀬方面からも含めて、アクセス手段としてはほとんど認識されなかった。

1985年度の輸送人員は130.6万人、営業赤字は1億4,405万円。同じ時期に分社化された鹿島鉄道の輸送人員は135.2万人と大差は無かったが、自衛隊百里基地へのジェット燃料輸送などの貨物輸送が7万3,884tあり、営業赤字額が1億1,503万円と少し差があった。その鹿島鉄道も貨物廃止後の2007(平成19)年3月末限りで廃止となった。

営業最終日の在籍車両は、キハ301・503～505・511・761～763・811・821、DD501、トラ104・105の13両で、廃止後、キハ301・503～505の4両が水海道に転じたが、前述のように301のみが関東鉄道常総線で復活した。

筑波線最終日の真壁駅。22時過ぎに土浦からの最終列車(キハ761＋キハ505)が到着し、1918(大正7)年開業以来の69年の歴史を閉じた。
1987.3.31　真壁　P：風間克美

(3) 廃線後の筑波鉄道と周辺

法人としての筑波鉄道は鉄道廃止の年の1987(昭和62) 年6月23日に関鉄筑波商事に社名を変更し、賃貸業を中心に盛業中である。

筑波鉄道廃線跡には1999(平成11) 年5月16日、2007(平成19) 年1月28日、2020(令和2) 年11月29日に訪れた。筑波鉄道の鉄道用地は茨城県土地開発公社に売却されて、廃止後の早い段階でサイクリングロード茨城県道501号桜川土浦自転車道に姿を変えている(上大島〜酒寄間を除く)。現在でも駅跡はホームが姿を留めている箇所が多く、往時を偲ぶことができる。

1983(昭和58) 年に巨大な駅ビルとなっていた土浦駅は、1999(平成11) 年5月訪問時は1番線が残っていたが、2007(平成19) 年1月訪問時に1番線は駐車場となりホームとの間にフェンスが張られ、独特のカーブを描くホームの形状が筑波鉄道現役時代の面影といえる。1999年5月訪問時は土浦〜真鍋(信) 間が未舗装であったが、2007年1月訪問時は整備されていた。

真鍋(信)跡は関鉄観光バス本社と車庫になり、新土浦駅跡はホームが往時のままの姿を留め、その先も坂田停留場跡以外はホームが残る。ただ、虫掛・常陸藤沢はホームの一部に階段が新設されていて、現役時代からは姿を変えている。田土部はホームが現役時代の

JR常磐線ホームに接していた土浦駅跡は柵で封じられている。
2020.11.29 P:寺田裕一

機関区が設置されていた真鍋信号場(駅) 跡はバス車庫に転用されている。 2020.11.29 P:寺田裕一

単式ホームの跡が残る新土浦駅跡。 2020.11.29 P:寺田裕一

ホーム手前に階段が新設されたものの、交換駅の面影が残る常陸藤沢駅跡。 2020.11.29 P:寺田裕一

相対式ホームと貨物ホームが痕跡を残す常陸小田駅跡。
2020.11.29 P:寺田裕一

春は周囲に桜が咲き誇る常陸北条駅跡。
2020.11.29 P:寺田裕一

筑波山口バスターミナルとして、今なお交通の拠点であり続ける筑波駅跡。
2020.11.29　P：寺田裕一

ままに近い姿で残り、常陸小田の手前は、小田城址を避けるため自転車道は線路跡から少し離れ、常陸小田駅跡は、相対式ホームと貨物ホーム跡までが姿を留める。常陸北条も往時の雰囲気がよく残るが、駅舎跡付近は戸建住宅が建っている。

筑波駅跡は、旧駅舎が関東鉄道のバス営業所事務所となり、1999年５月訪問時は旧下りホームが現役時代のままに近い状態で残っていたが、2007年１月訪問時はホーム部分が改修されて雰囲気が変わっていた。2005(平成17)年までは「筑波駅」の表記も残っていたが、2005年８月24日開業の、つくばエクスプレス「つくば」と区分するためか筑波山口に改められている。

上大島から酒寄にかけての線路跡は、県道の拡幅によって消失し、その先で再び自転車道となる。柴尾駅跡と常陸桃山駅跡はホームが原形を留め、真壁駅跡も相対式ホームが残る。樺穂、東飯田、雨引もホームが残り、自転車道は岩瀬の構内に差し掛かる手前まで続く。岩瀬駅の筑波線発着線跡は公園に整備されているが、その広さに驚きを感じる。

ホーム跡が当時の痕跡を残す紫尾駅跡。
2020.11.29　P：寺田裕一

相対式ホームの残る真壁駅跡は周囲が公園状になっている。
2020.11.29　P：寺田裕一

相対式ホームの残る樺穂駅跡。　2020.11.29　P：寺田裕一

筑波線駅跡が公園のようになっている岩瀬駅跡。
2020.11.29　P：寺田裕一

■輸送量および収入の推移

年度 西暦	年度 年号	定期旅客（千人） 通勤	定期旅客（千人） 通学	定期外旅客（千人）	旅客（千人）	荷物（t）	貨物（t） 小口扱	貨物（t） 車扱	貨物（t） 計	輸送密度（人/km日）*2	営業収入（千円） 旅客	営業収入（千円） 荷物	営業収入（千円） 郵便物	営業収入（千円） 貨物	営業収入（千円） 運輸雑収*3	営業収入（千円） 計*4	営業費（千円）*4	営業損益（千円）*4	年度末車輌数（輌）*5 蒸機	内機	気動車	客車	有蓋貨車	無蓋貨車	その他	計	鉄道従業員（人）*6 本社	運輸*7 駅·車掌 運転士	土木	電気	車輌	計	列車走行キロ（千キロ）*8 旅客	貨物	混合	計
1918	大7				280	140			25,731	404	53	1	0.2	21	10	86	69	17	3	—	—	21	0	10	—	34	19	45	37	—	19	120			61	61
1919	8				540	270	10,899	57,106	68,005	440	110	3	0.8	53	3	169	148	21	4	—	—	21	0	10	—	35	8	89	42	—		139			101	101
1920	9				580	350	11,687	64,540	76,227	473	151	4	0.8	62	8	226	230	▲4	4	—	—	21	5	25	—	55	11	92	47	—		150	0.2		103	104
1921	10				620	377	10,850	69,672	80,522	533	175	7	1	88	8	274	213	61	4	—	—	21	9	45	—	79				—		148	1	1	104	106
1922	11				654	472	11,370	88,037	99,407	552	183	8	1.3	98	7	298	224	74	4	—	—	21	9	45	—	79				—		158	2	2	104	108
1923	12				681	479	11,490	91,041	102,531	575	187	8	1.6	94	9	300	222	78	5	—	—	21	9	45	—	80	11	99	48	—		158	1	3	104	108
1924	13				759	565	13,812	110,673	124,485	664	214	9	1.6	118	10	355	229	126	4	—	—	21	9	45	—	79	11	104	45	—		160	0.2	4	107	111
1925	14				814	540	14,389	138,288	152,677	700	225	9	2.0	133	8	378	255	123	5	—	—	26	9	45	—	85	9	114	46	—		169	0.5	2	141	144
1926	15				903	646	14,284	103,439	116,723	813	251	11	1.6	119	10	403	257	146	6	—	—	29	9	45	—	89	16	112	46	—		174	8	0	142	150
1927	昭2				873	679	13,023	106,603	119,626	778	237	11	1.6	116	13	380	248	132	6	—	—	32	7	45	—	90	10	121	45	—		176	69		201	271
1928	3				818	600	12,297	111,994	124,291	731	214	10	1.7	121	37	385	219	166	6	—	—	28	7	45	—	86	8	113	43	—		164	80		203	283
1929	4				726	519	11,034	118,000	129,034	660	192	9	1.6	126	24	354	228	126	6	—	—	28	6	45	—	85	7	107	39	—		153	91		195	286
1930	5				503	389	8,150	76,623	84,773	456	127	7	1.6	80	7	224	174	50	6	—	—	28	6	45	—	85	6	94	38	—		138	91		211	302
1931	6				438	332	6,833	67,938	74,771	406	107	6	1.5	70	6	191	142	49	6	—	—	28	6	45	—	85	6	89	34	—		129	101		200	301
1932	7				432	294	5,787	63,890	69,677	423	98	5	1.6	68	11	184	138	46	6	—	—	28	6	45	—	85	6	86	34	—		126	108		204	312
1933	8				437	305	5,818	70,594	76,412	427	100	5	1.5	72	8	187	141	46	6	—	—	28	6	45	—	85	6	82	34	—		122	121		190	311
1934	9				439	339	6,031	60,110	66,141	424	97	6	1.5	62	11	178	149	29	6	—	—	28	6	45	—	85	5	81	31	—		117	124	0	187	311
1935	10				440	355	5,917	55,761	61,678	460	98	6	1.5	54	8	168	139	29	6	—	—	28	6	45	—	85	5	79	31	—		115	159	0	158	317
1936	11				432	337	6,537	55,791	62,835	437	100	6	1.6	54	8	170	139	31	6	—	—	28	6	45	—	85	6	78	30	—		114	158	0	158	317
1937	12				452	362	7,123	57,795	64,918	423	103	6	1	58	8	176	132	44	6	—	3	22	6	45	—	82	5	65	30	—		100	86	0	120	207
1938	13				529	379	8,476	71,957	80,433	479	122	7	—	71	9	209	160	49	4	—	3	12	6	45	—	70	11	63	36	—		110	3.7	1.8	79	85
1939	14				733	475	13,279	89,121	102,400	687	183	9	—	101	12	305	264	41	3	—	3	6	6	45	—	63	14	65	37	—		116	5	0	83	88
1940	15				1,005	547	15,902	111,678	127,580	914	251	10	—	125	6	392	229	163	3	—	3	6	6	45	—	63	12	64	31	—		107	7	0	59	66
1941	16				1,101	567	14,871	123,313	138,189	992	284	11	—	131	6	432	264	168	3	—	3	6	6	39	—	57	16	71	34	—		121	47	0.1	55	103
1942	17				1,180	510	10,919	138,447	149,988	1,095	322	11	—	165	39	537	340	197	3	—	3	6	6	39	—	57	15	76	36	—		127	81	0.1	58	139
1943	18				1,647	472	8,918	157,574	166,492	1,468	443	10	—	172					3	—	3	6	6	39	—	57							86	0.2	58	145
1944	19	筑波鉄道			2,292	492	8,666	167,341	176,007	1,894	586	20	0.6	186	28	808	593	214															104	0	73	177
		常総筑波鉄道			206	64	822	19,678	20,500	1,166	69	3	0.6	21	3	2,025	1,259	766															65	0	302	367
1945	20				10,242	596	10,993	320,059	331,052	4,106	3,726	53	8	387	237	4,245	3,459	786																		
1946	21				11,669	983	13,039	311,158	324,197	4,721	9,795	85	23	1,130	267	11,216	11,545	▲329	9	—	7	20	57	99	—	192	57	409	116	—		582				
1947	22				3,649	302	6,044	93,189	99,233	3,493	10,729	133	57	2,239	82	46,989	46,733	255	5	—	3	8	6	39	—	61	66	422	125	—		613	84	—	73	157
1948	23				2,877	263	5,936	97,069	103,005	2,634	28,885	557	154	8,345	978	127,885	134,536	▲6,651	6	—	3	8	6	39	—	62	77	502	139	—		718	79	—	72	151
1949	24	786		1,247	2,033	223	5,335	86,770	92,105	1,794	32,774	749	313	8,935	1,394	157,997	154,664	3,333	4	—	—	13	6	39	—	62	74	237	133	—		444	66	—	73	139
1950	25	783		1,082	1,865	283	4,040	82,397	86,437	1,605	34,188	902	182	11,809	37	173,920	164,028	9,891	4	—	3	11	6	39	—	63	71	486	129	—		686	59	—	65	124
1951	26	804		1,033	1,837	287	4,389	96,510	100,899	1,032	36,910	1,014		14,155		192,570	189,317	3,253	4	—	5	15	7	39	—	70	77	497	120	8		702	224	—	60	284
1952	27	776		933	1,709	276	3,752	86,401	90,153	3,129	45,801	1,172		15,181	609	62,764			4	—	9	11	7	39	—	70	66	267	136	0	216	685	292	—	59	351
1953	28	763		934	1,697	261	2,940	79,884	82,924	1,476	53,202	1,210		14,140	544	69,097			8	2	24	24	56	131	—	245	65	264	138	—	219	686	383	32	25	440
1954	29	823		1,010	1,833	271	2,685	88,884	91,569	1,559	57,215	1,254		15,250	401	74,121			2	1	10	14	7	28	—	62	66	264	134	—	231	695	440	55	2	497
1955	30	838		1,062	1,900	225	2,583	83,621	86,204	1,671	61,641	1,238		14,600	401	77,880			1	2	10	0 *9	0 *9	0 *9	—		70	621				691	462	55	2	519

年度		定期旅客（千人）		定期外旅客（千人）	旅客（千人）	荷物 (t)*1（千個）	貨物（t）			輸送密度（人/km日）	営業収入（千円）						営業費（千円）	営業損益（千円）	年度末車輌数（輌）*5								鉄道従業員（人）*6							列車走行キロ（千キロ）			
西暦	年号	通勤	通学				小口扱	車扱	計		旅客	荷物	郵便物	貨物	運輸雑収	計			蒸機	内機	気動車	客車	有蓋貨車	無蓋貨車	その他	計	本社	運輸 駅・車掌	運輸 運転士	土木	電気	車輌	計	旅客	貨物	混合	計
1956	31	952		1,130	2,082	300	2,675	86,673	89,348	1,753	63,649	1,352		14,831	517	80,349			4	5	23	18	46	123	—	219	75	632					707	471	55	2	528
1957	32	1,027		1,110	2,137	22	2,699	87,125	89,824	1,773	65,609	1,554		16,778	899	84,840			1	2	10	9	7	25	—	54	76	383		128	—	96	663	497	56	2	555
1958	33	1,145		1,192	2,337	22	2,489	77,325	79,814	1,926	72,774	1,457		14,795	1,047	90,073			1	2	10	9	7	25	—	54	77	371		131	—	94	673	524	58	—	582
1959	34	1,266		1,267	2,533	21	2,370	90,377	92,747	2,052	77,711	1,440		16,607	1,625	97,383			1	2	14	2	7	24	—	50	76	382		130	—	87	675	554	57	—	611
1960	35	1,460		1,292	2,752	21	2,298	82,595	84,893	2,215	81,688	1,532		15,617	4,955	103,795			1	2	15	2	7	24	—	51	77	410		134	—	87	708	614	57	—	671
1961	36	1,754		1,366	3,120	26	2,286	74,080	76,366	2,461	90,591	1,775		16,464	9,419	118,249			1	2	16	2	7	24	—	52	80	418		137	—	83	718	611	56	—	667
1962	37	2,011		1,378	3,889	28	2,338	75,583	77,921	2,793	111,866	1,897		16,758	7,716	138,237			1	2	15	2	7	24	—	51	81	439		133	—	86	739	618	52	—	670
1963	38	2,292		1,404	3,696	31	2,341	80,716	83,057	3,013	129,677	1,955		17,667	8,582	157,881			—	2	14	3	9	18	—	46	81	433		145	—	88	747	600	59	—	659
1964	39	2,720		1,475	4,195	32	2,246	82,103	84,349	3,443	122,341	2,041		17,463	4,543	146,388			—	2	13	2	8	8	—	33	80	443		141	—	92	756	612	40	—	652
1965	40	2,690		1,436	4,126	34	470	65,556	66,023	2,936	151,212	1,919		12,758	1,827	167,716			—	2	13	2	8	8	—	33	113	522		107	17	114	873	612	30	—	642
1966	41	2,652		1,368	4,020	39	—	51,572	51,572	3,313	148,343	2,421		10,558	817	162,139			—	2	13	2	2	6	—	29	121	523		158	24	113	939	623	30	—	653
1967	42	2,646		1,371	4,017	38	—	53,156	53,156	3,288	159,190	2,463		10,965	1,312	173,930			—	2	13	2	2	6		25	116	491		157	24	96	884	638	30	—	668
1968	43	2,559		1,363	3,922	39	—	43,755	43,755	3,158	176,781	2,602		8,856	579	188,818			—	2	14	2	0 *9	0 *9		18	119	481		146	24	90	860	633	29	—	662
1969	44	1,067	1,386	1,351	3,804	36	—	49,287	49,287	3,088	174,526	2,780		9,487	614	187,407			—	2	18	—	2	6		28	127	440		131	24	81	803	619	27	—	646
1970	45	971	1,295	1,275	3,541	40	—	53,856	53,856	2,912	200,183	2,879		10,723	693	214,478			—	2	18	—	2	3		25	138	406		124	23	77	768	540	28	—	568
1971	46	907	1,254	1,292	3,453	42	—	11,113	11,113	2,923	217,048	3,015		1,649	712	222,424			—	9	65	—	13	15		102	124	371		122	24	71	712	543	2	—	545
1972	47	867	1,178	1,280	3,325	41	—	10,553	10,553	2,819	242,514	3,351		1,362	917	248,144			—	8	70	—	5	13		96	117	351		114	26	68	676	545	1	—	546
1973	48	790	1,087	1,275	3,152	38	—	8,750	8,750	2,694	289,621	3,132		1,106	3,452	297,311			—	6	69	—	5	13		93	119	345		112	26	67	669	548	1	—	549
1974	49	759	1,098	1,265	3,122	37	—	8,559	8,559	2,640	334,447	3,197		1,226	8,915	347,785			—	5	70	—	5	13		93	108	343		113	26	66	656	545	1	—	546
1975	50	671	1,077	1,230	2,978	38	—	12,015	12,015	2,487	415,409	3,394		1,966	12,220	432,989			—	5	72	—	5	13		95	119	347		114	26	70	676	550	0	—	551
1976	51	569	973	1,110	2,651	34	—	12,132	12,132	2,202	465,250	4,017		2,443	15,036	486,746			—	5	64	—	5	7		81	33	355		115	26	70	599	548	1	—	549
1977	52	512	901	1,079	2,493	27	—	13,008	13,008	2,052	449,206	4,676		3,333	8,179	465,396			—	5	68	—	5	7		85	69	281	61	85	24	63	583	549	0	—	550
1978	53	495	823	946	2,264	25	—	16,432	16,432	1,824	491,110	3,845		4,409	10,185	509,550			—	5	67	—	5	7		84	61	327	62	83	23	28	584	549	0	—	550
1979	54	388	778	888	2,055	20	—	14,616	14,616	1,637	468,318	3,479		4,286	15,948	492,033	560,321	▲ 68,288	—	2	13	—	—	2		17	7	59	16	18	7	16	123	550	0	—	551
1980	55	363	788	864	2,016	15	—	12,296	12,296	1,600	462,867	2,703		4,618	20,324	490,513	609,831	▲119,317	—	2	13	—	—	2		17	7	56	14	15	6	15	113	550	0	—	551
1981	56	331	721	768	1,821	10	—	3,730	3,730	1,434	486,929	1,680		2,274	20,655	511,539	614,750	▲103,210	—	1	13	—	—	2		16	7	40	14	16	5	15	97	535	—	—	535
1982	57	295	686	716	1,697	8	—	—	—	1,307	457,419	1,099			24,083	482,601	650,589	▲167,988	—	1	13	—	—	2		16	8	45	13	14	5	16	101	521	—	—	521
1983	58	277	604	674	1,554	5	—	—	—	1,194	473,163	636			24,387	498,186	641,590	▲143,404	—	1	13	—	—	2		16	8	43	13	13	5	15	97	528	—	—	528
1984	59	256	572	639	1,468	—	—	—	—	1,130	452,385				25,687	478,072	723,628	▲245,556	—	1	13	—	—	2		16	7	34	13	10	3	13	80	529	—	—	529
1985	60	197	527	585	1,306	—	—	—	—	1,024	408,421				20,947	429,368	573,420	▲144,052	—	1	11	—	—	2		14	7	32	13	10	3	12	77	529	—	—	529
1986	61	142	471	613	1,245	—	—	—	—	988	404,183				22,915	427,098	595,704	▲168,606	—	1	11	—	—	2		14	6	21	13	9	3	9	61	517	—	—	517

※1945・46（昭和20・21）年度は全項目常総筑波鉄道計（常総線含む）

*1：1956（昭和31）年度以前の単位はt

*2：1926（大正15）年度以前の単位は人/哩日

*3：1947（昭和22）年度は通行税

*4：1944（昭和19）年度常総筑波鉄道～1951（昭和26）年度は常総筑波鉄道計

*5：1953・56（昭和28・31）年度は常総筑波鉄道計　1971～78（昭和46～53）年度は関東鉄道計

*6：全社計数値

*7：1919～1951（大正8～昭和26）年度の運輸は車輌を含む

*8：1926（大正15）年度以前の単位は千哩

*9：誤記と思われる

上巻のおわりに

筑波鉄道の歴史をさかのぼるなか、最も注目したのが、発起人の中に地元関係者が皆無であったこと。要するに、幹線鉄道から外れた都邑の人々の情熱が鉄道敷設に結び付いたものではなく、首都圏の有力者が利益を生みそうな線区を物色した、つまり、土浦から観光地としても名高い筑波山麓を経て下館(後に岩瀬)を結ぶその路線が利益を生み出す糧に見えたといえば、言い過ぎであろうか。そのことが、地元からの出資に盛り上がりがなく、用地買収に苦労を重ねることに繋がったとも見て取れる。

開業時に蒸気機関車の購入が思うようにならず、内燃動車の導入が他社より10年近く遅れたことから、地方鉄道の経営に秀でた人物が関わっていれば、経営状況は違っていたと思われる。

初代筑波鉄道時代の車両の概要は国立公文書館に残る許認可関係書類からほぼ解明できた。その車両と駅の変遷については、一括して下巻に掲載することとした。しばし、お待ちいただきたい。

お世話になった方々への謝辞と参考文献は下巻にまとめて掲載させていただく。

筑波山の登山口である筑波駅は、廃線直前まで多数のハイキング客で賑わいを見せた。
1987.3.22　筑波　P：風間克美